Deixe-me partir
Copyright by © Petit Editora e Distribuidora Ltda., 2014-2024
17-10-24-5.000-84.300
Coordenação editorial: **Ronaldo A. Sperdutti**
Capa: **Júlia Machado**
Imagem da capa: **Rustle e Liudmila Gridina | Shutterstock**
Projeto gráfico e editoração: **Ricardo Brito | Estúdio Design do Livro**
Preparação: **Maria Aiko Nishijima**
Revisão: **Isabel Ferrazoli**
Impressão: **Plena Print Gráfica**

**Ficha catalográfica elaborada por
Lucilene Bernardes Longo – CRB-8/2082**

Carvalho, Tânia Fernandes de.
    Deixe-me partir / Tânia Fernandes de Carvalho. – São Paulo : Petit, 2014.
    232 p.

ISBN 978-85-7253-264-8

1. Espiritismo   2. Morte   3. Desencarnação   4. Luto
I. Título.

CDD: 133.9

Direitos autorais reservados.
É proibida a reprodução total ou parcial, de qualquer forma ou por qualquer meio, salvo com autorização da Editora.
(Lei nº 9.610, de 19 de fevereiro de 1998)
Traduções somente com autorização por escrito da Editora.

Prezado(a) leitor(a),

Caso encontre neste livro alguma parte que acredita que vai interessar ou mesmo ajudar outras pessoas e decida distribuí-la por meio da internet ou outro meio, nunca deixe de mencionar a fonte, pois assim estará preservando os direitos do autor e, consequentemente, contribuindo para uma ótima divulgação do livro.

Deixe-me Partir

Tânia Fernandes de Carvalho

Av. Porto Ferreira, 1031 – Parque Iracema
CEP 15809-020 – Catanduva-SP
17 3531.4444
www.petit.com.br | petit@petit.com.br
www.boanova.net | boanova@boanova.net

Sumário

Apresentação, 9

Prefácio, 11

Algumas explicações, 13

Partidas e chegadas, 14

O porquê do livro, 17

A maior preocupação: meu ente querido está bem?, 23

O que é o "luto", 30

Não queiram morrer para encontrar-me, 34

O que podemos fazer pelos que partiram?, 38

Seja feita a tua vontade, 42

Como você tem feito preces depois da morte de seu(sua) querido(a)?, 46

Será que minha prece chega até meu ente querido?, 50

Os cinco estágios da dor que o enlutado vive, 54

Quando é hora de levar o enlutado ao médico/psicólogo?, 61

Transformando "perdas" em ganhos, 66

Aceitação e entrega, 70

Por que as pessoas estranham se você está bem após o desencarne de seu ente querido?, 74

Doação dos bens do falecido: o que fazer? Devo manter intacto seu quarto?, 77

Devo visitar o túmulo do meu ente querido?, 82

Meu ente querido partiu pelo suicídio. E agora?, 85

Construindo com a dor, 92

Saudades com amor, 96

Você tem escondido as fotos dos entes queridos que se foram?, 99

Aquele que desencarna também se ressente da nossa ausência, 102

Na hora do sono podemos nos reencontrar, 106

Enlutado = em luta, 109

Quando a criança é a enlutada, 113

Falando de morte para as crianças, 120

Crianças: ir ou não ao velório?, 128

Saudade: o que fazer com ela?, 131

Dia de Finados, 135

Cuide de você aí, porque aqui estou me cuidando, 139

Filho é empréstimo, 142

Quando a morte vem antes do nascimento, 147

O porquê das mortes prematuras, 152

Mortes coletivas: como o Espiritismo explica essas tragédias?, 157

Devo ou não visitar uma mãe que acabou de "perder" seu filho?, 163

O tempo é o melhor remédio, mas esse remédio tem efeitos colaterais!, 166

A morte é uma sublime professora, 169

Jesus prova a imortalidade, 172

Que insensato és! Esta noite mesmo tua alma será arrebatada!, 177

E você, está pensando na sua morte?, 181

Estamos preparados para deixar este mundo?, 185

Se fosse um homem de bem, teria morrido, 188

Experiência de quase morte – EQM, 190

Luto antecipatório – doença terminal, 197

Cuidados com quem foi cuidador, 201

Animais... Último adeus! Quando a morte é do nosso animal de estimação, 204

O que faz um grupo de apoio?, 211

Grupo de apoio: por que participar?, 215

Questionário, 219

Livros recomendados, 226

Pequeno glossário de termos utilizados neste livro, 227

Apresentação

Eu sou o caminho, a ressurreição e a vida. Aquele que crê em mim, mesmo que estiver morto viverá.

Jesus

Que alegria para a nossa alma poder apreciar os frutos prodigiosos da árvore amiga denominada CONSOLO!

Quando a despretensiosa equipe do Diálogo Fraterno do CEOS – Centro Espírita Obreiros do Senhor (SBC) – aportou no Núcleo Assistencial Espírita Paz e Amor em Jesus, do Tatuapé (São Paulo), levava a sementinha da esperança na implantação da tarefa consoladora, para atendimento aos corações sofridos pela "perda" da presença material do ser querido. Confiava em Jesus, com a certeza de que ela germinaria.

O terreno fértil do amor irrestrito já estava adubado pela fé viva e atuante, como já analisava a nossa querida Meimei. A árvore cresceu, porque a seiva do esclarecimento fincou raízes, adubadas pelo trabalho contínuo e muito amor.

Este livro *Deixe-me partir*, carinhosamente escrito pela nossa querida Tânia Fernandes de Carvalho, reflete todo o esforço e dedicação de uma equipe consciente no bem a realizar, pautado na doutrina consoladora, à luz do Evangelho de Jesus.

Que o leitor amigo encontre aqui a certeza da continuidade da vida. Nossos queridos que partiram para a Pátria espiritual estão mais vivos do que nunca, pois eles se encontram na vida além da vida.

Abraços fraternos,

MILTES CARVALHO BONNA

Mãezinha querida, teu filho vive. Está bem perto de ti.
Ligado ao teu coração, pelos fios tênues do imenso amor.
Meimei

Prefácio

Há uma lenda budista que diz:

> *Uma mulher vai até Buda[1] com o filho morto nos braços e suplica que o faça reviver. Buda diz a ela que vá a uma casa e consiga alguns grãos de mostarda. Mas, para trazer de volta a vida do menino, esses grãos devem ser de uma casa onde nunca morreu ninguém. A mãe vai de casa em casa, mas não encontra nenhuma livre da perda.[2]*

Essa pequena história nos ensina a mais lógica e difícil lição da vida. As dificuldades em encarar o fim da existência de alguém a quem amamos é uma experiência muito difícil.

Não somos preparados para perder, não somos preparados para a única certeza da vida: a morte!

---

1. "Aquele que sabe a verdade." Título concedido a alguém que alcançou um nível superior de entendimento. (Nota do Editor)
2. Lenda budista de autoria desconhecida. (N. E.)

A única certeza que temos é que morreremos, e dizem ainda que quando nascemos já começamos a morrer.

Por que então é tão difícil conviver com essa realidade? Falta de fé?

Falta da certeza de que há vida após esta vida, que não morremos, apenas mudamos de plano, ou seja, do mundo físico para o espiritual?

Nestes últimos anos, nos trabalhos da Casa Espírita que frequentamos, temos convivido com a experiência de acolher aqueles que perderam um ente querido e participado da transformação de muitas pessoas que nos chegaram arrasadas com o desencarne de um ente querido e que foram aos poucos se transformando com a aceitação da ausência física dele.

Essa é a nossa intenção, de colaborar, pois, como trabalhadores espíritas, temos em nossas mãos muitos conhecimentos que podem ajudar a libertar dessa situação quem precise. Esta é a grande oportunidade de sermos úteis e fazermos alguém mais feliz.

Algumas explicações

Antes de iniciar sua leitura, gostaríamos de esclarecer alguns pontos, os quais entendemos necessários:

Intercalaremos ao tema central, luto/enlutados, comentários de temas do Evangelho de Jesus que se ligam ao momento do luto para melhor elucidação.

Toda a nossa experiência sobre o assunto foi vivenciada e apreendida no grupo do qual participamos no Núcleo Assistencial Espírita "Paz e Amor em Jesus"[3] – Grupo "Encontro Amigo" –, de atendimento a enlutados.

Tendo em vista que a doutrina espírita nos esclarece que ninguém morre, mas vive em espírito no mundo espiritual, temos de ponderar com o amigo leitor que, quando você ler neste livro "perdeu, perda", entenda "afastou-se", "partiu antes"; porém não morreu, vive em outra dimensão.

---

3. Localizado no bairro do Tatuapé, na cidade de São Paulo/SP. (N.E.)

Partidas e chegadas

Quando observamos, da praia, um veleiro a afastar-se da costa, navegando mar adentro, impelido pela brisa matinal, estamos diante de um espetáculo de beleza rara.

O barco, impulsionado pela força dos ventos, vai ganhando o mar azul e nos parece cada vez menor.

Não demora muito e só podemos contemplar um pequeno ponto branco na linha remota e indecisa, onde o mar e o céu se encontram.

Quem observa o veleiro sumir na linha do horizonte, certamente exclamará: "já se foi!".

Terá sumido? Evaporado?

Não, certamente. Apenas o perdemos de vista.

O barco continua do mesmo tamanho e com a mesma capacidade que tinha quando estava próximo de nós. Continua tão capaz quanto antes de levar ao porto de destino as cargas recebidas.

O veleiro não evaporou, apenas não o podemos mais ver.

Mas ele continua o mesmo.

E, talvez, no exato instante em que alguém diz: "já se foi", haverá outras vozes, mais além, a afirmar: "lá vem o veleiro!".

Assim é a *morte*.

Quando o veleiro parte levando a preciosa carga de um amor que nos foi caro e o vemos sumir na linha que separa o visível do invisível, dizemos: "já se foi".

Terá sumido? Evaporado?

Não, certamente. Apenas o perdemos de vista.

O ser que amamos continua o mesmo. Sua capacidade mental não se perdeu.

Suas conquistas seguem intactas, da mesma forma que quando estava ao nosso lado.

Conserva o mesmo afeto que nutria por nós. Nada se perde, a não ser o corpo físico de que não mais necessita no outro lado.

E é assim que, no mesmo instante em que dizemos: "já se foi", no mais além, outro alguém dirá feliz: "já está chegando".

Chegou ao destino levando consigo as aquisições feitas durante a viagem terrena.

A vida jamais se interrompe nem oferece mudanças espetaculares, pois a natureza não dá saltos.

Cada um leva sua carga de vícios e virtudes, de afetos e desafetos, até que se resolva por desfazer-se do que julgar desnecessário.

A vida é feita de partidas e chegadas. De idas e vindas. Assim, o que para uns parece ser a partida, para outros é a chegada.

Um dia partimos do mundo espiritual na direção do mundo físico; noutro partimos daqui para o espiritual, num constante ir e vir, como *viajantes da imortalidade* que somos todos nós.

AUTOR DESCONHECIDO

O porquê do livro

> *O Espiritismo vem abrir os olhos e os ouvidos, pois fala de forma direta e objetiva. Ele ergue o véu deixado propositalmente em alguns mistérios. Vem, enfim, trazer consolação suprema aos deserdados da Terra e a todos os que sofrem, dando uma causa justa e um objetivo útil para todas as dores.*[4]

Muito se escreveu sobre a morte e o morrer. Os espíritos já nos orientaram o suficiente, por intermédio de bons médiuns em uma bibliografia ímpar, mas depois de trabalhar por mais de oito anos num grupo de acolhimento a enlutados na casa espírita, fui motivada a escrever de modo a atender a quem "perdeu" seu ente querido, buscando fornecer explicações focadas nas perguntas e na dor que a morte traz.

---

4. *O Evangelho Segundo o Espiritismo*. Allan Kardec. São Paulo: Petit, 2013. Capítulo 6 – Cristo Consolador.

A pessoa que "perde" um ente querido quer entender: por que com ela? Por que agora? Por que não fiz isso ou aquilo? Onde está o meu(minha) querido(a)?

Precisa de respostas... e a doutrina espírita tem as respostas necessárias, gerando consolação.

Existem poucas coisas certas na vida, e uma delas é a morte.

A vida não funciona da forma que desejamos: o momento chega, às vezes nos pega de surpresa e nos derruba. Em algumas vezes, o tombo é tão grande que devasta uma vida inteira cheia de planos e acontecimentos marcantes, trazendo consigo sensações de dor nunca antes sentidas.

Nossa sociedade se prepara, inclusive com grandes investimentos, para os acontecimentos que cercam o processo de nascimento; por outro lado, pouco ou quase nada se investe quando se trata de enfrentar o desfecho da vida humana: a morte e suas consequências para os que ficam.

É notória essa postura das pessoas, pois, quando a palavra morte é mencionada, ouve-se: "Deixe isso para lá... não vamos falar de coisas tristes...".

Assim, não resta lugar para a morte, que passa a ser negada, escamoteada, tida até como ofensa para os humanos. Talvez, ante nossa própria impotência diante da morte, afastamo-nos de sua ideia.

Contudo, sabemos que a morte continua sendo uma realidade diária e, queiramos ou não, precisa ser encarada com o respeito e os cuidados necessários. Se o nascimento sinaliza o início do ciclo da vida, a morte, sua contraface, sinaliza o fim desse ciclo: o término da vida física; porém, temos agora o início da vida espiritual, em que todos dizem acreditar, mas da qual não querem falar. Somos paradoxais!

Temos observado, com satisfação, que grandes hospitais e administradoras de cemitérios estão se voltando para esse atendimento, haja vista grupos que surgem para atendê-los. No entanto acreditamos que, embora de grande valia, faltam-lhes os elementos que o Espiritismo proporciona quando abre as portas do mundo espiritual e nos prova que nossos queridos continuam vivos, sendo atendidos pelos entes que partiram antes e pelos amigos espirituais, que não nos desamparam.

O esclarecimento e o consolo que a Doutrina Espírita oferece são decisivos para aquele que "perdeu" um ente querido.

"Perder" um ente querido transforma-se em um dos momentos mais difíceis da existência humana. A dor da separação daqueles que amamos parece não ter fim ou cura, mas a Doutrina Espírita oferece elementos que podem ser a chave para a sua solução.

A dor relatada por aqueles que passaram por uma separação é tida como uma das piores. Por outro lado, há aqueles que têm dificuldade de acreditar no que aconteceu.

O fato é que a dor da "perda" não pode ser evitada, mas a maneira de encarar a situação e a compreensão de que a morte não existe podem ajudar as pessoas a passar por esse momento doloroso.

A crença na vida após a morte e de que a separação é passageira diante da eternidade traz um grande consolo no momento da partida daqueles que amamos.

Outros pontos importantes que o Espiritismo esclarece é que o desespero e a revolta ante a "perda" podem prejudicar aqueles que partiram.

A questão 936 de *O Livro dos Espíritos*, de Allan Kardec[5], traz um interessante esclarecimento:

> ... mas uma dor incessante e irracional o afeta dolorosamente, porque vê nessa dor excessiva uma falta de fé no futuro e de confiança em Deus e um obstáculo ao adiantamento dos que choram e, talvez, ao reencontro entre todos.

Assim, entendemos que as casas espíritas detêm todas as condições para acolher aqueles que buscam esse consolo e esclarecimento.

Em nossa experiência temos observado que muitas pessoas, descontentes com as explicações que recebem em família, fruto das escolhas religiosas, procuram a casa espírita objetivando a solução de suas questões, como saber onde e, principalmente, como estão seus entes queridos.

A casa espírita deve, além do consolo espiritual, propiciar meios para que essas pessoas encontrem respostas e aprendam a lidar com a ausência física do seu ente querido.

Fica muito mais fácil para aquele que tem conhecimento da existência da vida após a morte aprender a lidar de forma melhor com a questão do desencarne, porque encontrará uma concepção diferente dos demais. Saber que a

---

5. *O Livro dos Espíritos*. Allan Kardec. São Paulo: Petit, 2012. Quarta Parte, capítulo 1.

"perda" é apenas física e transitória é decisivo para acalmar as mentes e os corações sofridos.

Observamos, por outro lado, que a pessoa que passa por essa situação, muitas vezes de forma inesperada ou brutal, consegue viver o período de luto com maiores condições de enfrentar o distanciamento se tiver valores espirituais. Pode, assim, lidar de forma melhor, psicológica e emocionalmente, com o desencarne. É o que temos visto no grupo de que participamos.

Com a dor da "perda", o psiquismo sofre muitos danos, e, se existia uma ligação muito forte entre quem partiu e quem ficou, a pessoa acaba vivendo um grande drama.

Quando existe uma dependência emocional muito grande entre aqueles que partiram, a perda parece brutal, até mesmo desesperadora. Há pessoas que não conseguem se curar quando "perdem" seus entes queridos e continuam sofrendo muitos anos a mesma dor.

É muito importante que a casa espírita espalhe às pessoas essa concepção da existência espiritual a fim de que elas vivam os momentos conflituosos de modo mais suave, aprendendo a trabalhar melhor com eles.

"O homem fraco teme a morte, o desgraçado a chama; o valente a procura. Só o sensato a espera."

Benjamin Franklin

A maior preocupação: meu ente querido está bem?

A nossa experiência em grupo de enfrentamento do luto mostra que a maior dor resulta da dúvida que encontramos no coração de quem fica: meu ente querido está bem? Para onde ele foi?

Descobrimos que essa pergunta traz muitas pessoas à casa espírita, porque, em nosso país, graças ao nosso querido Chico Xavier, entre outros médiuns importantes, as pessoas conhecem o Espiritismo e sabem que em seus ensinamentos encontrarão respostas quando o assunto é o outro lado da vida.

Tivemos a felicidade de conhecer em nosso grupo um jovem médico que, não contente com a resposta que sua avó lhe dera quando da morte de sua mãe, veio nos procurar.

Disse-nos ele que sua avó, consolando-o, disse:

– Não se preocupe, sua mãe está dormindo, ela está com Deus.

Essa resposta não o convenceu e motivou-o a procurar livros espíritas para obter mais respostas. Estudando, convenceu-se de que aquele espírito que foi sua mãe vive e continua como sempre, amando-o e tendo suas experiências, porém agora no plano espiritual.

É a fé raciocinada que muito nos ajuda, principalmente nessas horas.

A certeza de que nossos entes queridos não desapareceram no nada dá-nos força para continuar vivendo e realizando aquilo para que renascemos.

Muitas mensagens mediúnicas recebidas pelos médiuns espalhados pelo país dão conta de que nossos entes queridos continuam vivos, com as mesmas aspirações e desejos, apenas estão em uma dimensão diferente – aliás, na verdadeira vida: a vida espiritual, e nos rogam que continuemos nossa vida e que sequemos nossas lágrimas no labor ao próximo.

Destacamos alguns trechos das cartas constantes do livro *Jovens no Além*[6], psicografia de Chico Xavier, de espíritos diversos, como do jovem **WADY ABRAHÃO FILHO**, que desencarnou aos dezessete anos, vítima de um mal súbito quando se dirigia ao colégio. A família procura Chico Xavier seis meses após sua desencarnação e recebe a seguinte mensagem:

> *Meu pai, querida mãezinha. Não chorem mais, não morri como pensam. Não chorem mais! Estamos felizes*

---

6. *Jovens no Além*. Psicografia de Chico Xavier. São Bernardo: GEEM Editora, 2012.

porque cremos, estamos tranquilos porque o Senhor nos permite trabalhar para o bem.
Papai, não pense em morte, pense na vida e no bem que à vida na Terra todos nós podemos fazer.

Falando à sua irmã:

Não pense que me perdeu. Sou mais seu irmão, estamos mais juntos! (p. 172/3)
O que sinto é a névoa das lágrimas com que me acompanham. Não chorem mais, imploro. Ainda não pude acomodar-me com o trabalho aqui." (Como líder comunitário que era, quer continuar trabalhando no bem.)
Melhoro em espírito quanto ao ânimo de que preciso para seguir adiante, mas ouço as vozes dos meus pais queridos chamando-me em prantos.
Não queiram morrer para me ver, encontrar-me. (p. 164)
Não julguem que vim para cá antes da hora, que poderiam ter evitado o que sucedeu. Meu pai, aqui está comigo o vovô Abrahão. Ele e eu pedimos para não chorarem mais.
Preciso melhorar, papai, seguir a vontade de Deus para mim. (p. 164)

Como seu pai passava os dias e as noites no cemitério, acreditando fazer-lhe companhia, o filho pede:

Às vezes é preciso que amigos espirituais me procurem para buscá-lo. Ouço as suas palavras e perguntas,

> *pedidos e reclamações. Mas providencio logo aquele abraço e aquele beijo para fazê-lo voltar para casa.*
> *Não pode imaginar quanto doem em seu filho aquelas horas terríveis em que ficamos lutando mentalmente um com o outro. O senhor a sofrer e a atormentar-se e eu a tentar consolá-lo, sem conseguir.* (p. 172/3)

O filho faz distinção entre lágrimas de saudade com amor e as lágrimas de desespero:

> *Aquelas boas lágrimas de saudade nos iluminam porque nos aproximam de Deus.*

O filho dá uma orientação de como "amenizar" a saudade:

> *Quando a saudade aumentar, procure o meu rosto na face dos rapazes cansados e quase sozinhos em luta pela construção do futuro melhor.*
> *Agradeço as suas preces e as suas visitas ao cemitério. Afinal, temos ali um recinto de silêncio e meditação, mas não se demore tanto, meu paizinho, naquelas pedras respeitáveis, mas frias.* (p. 172/3)

JAIR PRESENTE

(Desencarnou afogado antes de completar 25 anos, cursava o 4º ano de engenharia mecânica na Unicamp.)

> *Meu pai, minha mãe, minha querida Sueli, peço-lhes calma, coragem.*

> Não estou em situação infeliz, mas sofro muito com a atitude de casa.
> Auxiliem-me. É tudo o que por agora posso dizer. Tenho a mente nublada. Consigo entender um pouco aquilo que se passa em torno de mim.
> As lágrimas dos meus queridos me prendem.
> Não pensem que eu desapareci. Fortes me fortalecerão. Desanimados me desanimarão. (p. 111)

AUGUSTO CÉSAR NETTO

(Desencarnou afogado na Praia Grande, aos 25 anos. Escreve quatro anos após seu desencarne.)

> Nosso pessoal por aí costuma tratar a gente por mortos. Isso, às vezes, dificulta o intercâmbio.

Falando ao pai:

> Rogo a ele não chorar ao ler esta carta. Da vez passada, quase entrei em grande aperto com as lágrimas do pessoal. Felizmente, mamãe, o seu coração, embora golpeado de saudade, estava firme. E quando as lágrimas brilhavam em seus olhos, lembro-me de que você procurava fixar meu retrato, fazendo força para alegrar-se.
> Querida mãezinha, a mensagem está pronta, mas a SAUDADE é um problema que não foi resolvido. Entretanto, estamos felizes. (p. 37/8)

Não podemos nos esquecer de que, quando viemos para este lado da vida, deixamos afetos, famílias que compúnhamos no outro lado da vida, e, quando para lá retornarmos, haverá um grupo de pessoas que nos querem bem e nos aguardam para novas experiências de crescimento. Em nosso grupo, é unânime a preocupação: "como estarão nossos queridos?". Isso também prova que trazemos em nós a certeza de que a vida continua, que nossos queridos não se perderam. Se tal se desse, quão impossível seria continuar a sobreviver por aqui. Aqueles que deixamos, quando para cá viemos, nos aguardam ansiosos, e nós, por outro lado, dia mais, dia menos, também faremos essa volta.

Se cremos em Deus, de justiça e amor, devemos ter certeza de que Ele não desampara ninguém. De qualquer maneira, seremos acolhidos também do outro lado da vida.

Devemos lembrar que, ao nascer, seja com a ajuda de uma parteira, de um bombeiro, ou de um médico em um grande hospital, sempre somos acolhidos e amparados. Por que Deus, de infinito amor, nos deixaria desamparados na verdadeira vida, a espiritual? Foge ao bom senso tal situação.

"A dor da saudade hoje é sinal de que você ama muito."

Anônimo

O que é o "luto"

Pensar para aceitar. Calar para resistir. Agir para vencer.
Renato Kehl

Luto é a dor causada pela morte de alguém, principalmente depois da morte de alguém que amamos, e viver o luto é viver essa dor.

A palavra "luto" também é utilizada para qualquer situação que envolva perda, como de trabalho, da família, de uma amizade, etc.

É um tempo entre duas fases da vida: a que se deixa, pela separação do ente querido, e a que vem depois. É preciso se soltar da relação que existia, para construir uma verdadeira vida nova, sem esquecer a pessoa que se foi.

O luto não vivenciado pode se tornar uma doença, e muitas vezes um profissional da saúde deverá ser consultado para a ajuda necessária. Muitas pessoas que não aceitam esse momento e não buscam esgotar todas as emoções daí advindas podem desenvolver mais tarde uma depressão, uma doença, enfim.

Choque, negação, raiva, culpa, depressão são as reações mais comuns que surgem no processo de luto. Estudos mostram que, quando as pessoas não lidam com esses sentimentos, a dor não passa.

Os sentimentos vividos pós-"perda"

Segundo os psicólogos e especialistas em atendimento a enlutados, o perfil de quem "perde" uma pessoa mistura aspectos de depressão, ansiedade, culpa, raiva e hostilidade, além de falta de prazer, solidão, agitação, fadiga e choro. Também ocorrem baixa autoestima, desamparo, saudade, procura pelo falecido, lentidão de pensamento, perda de apetite, distúrbio do sono, perda de energia e suscetibilidade às doenças.

O que fazer para resolver o luto?

Não há uma única receita, mas é importante buscar primeiramente um profissional, como um médico, um terapeuta, um líder religioso, um amigo, a família, o trabalho e até o isolamento e depois buscar a ajuda.

Importante também é a busca de grupos compostos por pessoas que passaram ou passam pelas mesmas experiências a fim de trocar essas vivências, já que a missão principal do grupo é apoiar o luto e não ignorá-lo.

O convívio com outros enlutados é necessário para transpor o luto.

É primordial que se compreendam as emoções que envolvem esse momento e assim superar o luto. Encontrar um recomeço depois que se "perde" uma pessoa querida não é fácil, mas possível.

As dúvidas que aparecem precisam de respostas: "por que isso aconteceu?" e "por que aconteceu comigo?". É muito necessário, ainda, que se pergunte também: "para que aconteceu isso comigo?".

Deve-se falar com amigos, não se culpar de nada, perdoar-se pelo que fez ou deixou de fazer, cuidar da própria saúde e também buscar algo para realizar.

Em suma: é preciso buscar ir do luto para a luta! As lutas com amor nos transformam.

"Quanto mais a dor cavar um buraco em você, mais felicidade caberá nele."

Khalil Gibran

Não queiram morrer para encontrar-me

> ... o suicida, que acredita escapar das misérias presentes, e mergulha em infelicidades maiores.[7]

Para algumas pessoas que "perderam" um ente querido, a ideia de morrer é algo que vem muito forte. Assim, não raras vezes, ouvimos o enlutado dizer:

– *Ah! Eu quero ir me encontrar com meu querido.*

Dar fim à própria vida, abrir mão de todas as possibilidades por uma possível paz é o caminho que muitos seguem de forma consciente ou não; mas, em vez de se mostrar uma solução, transforma-se num longo caminho de dor e sofrimento.

Os ensinamentos dos espíritos constantes da codificação espírita esclarecem que o suicídio é tido como um

---

7. O *Evangelho Segundo o Espiritismo*. Allan Kardec. São Paulo: Petit, 2013. Capítulo 28 – Coletânea de Preces Espíritas, item 71.

crime aos olhos de Deus (*O Céu e o Inferno*, capítulo 5), importa numa transgressão da Lei Divina (*O Livro dos Espíritos*, pergunta 944) e constitui sempre uma falta de resignação e submissão à vontade do Criador (idem, pergunta 953-a).

Assim, entendemos que jamais a pessoa teria o direito de dispor da vida, pois só a Deus caberá retirá-la, quando julgar oportuno. O suicida é qual prisioneiro que foge da prisão antes de cumprida a pena.

Em *O Céu e o Inferno*, capítulo 5, há relatos dos próprios suicidas sobre o seu estado infeliz na erraticidade. Verificando cada um deles, observamos que, embora o sofrimento seja "temporário", nem por isso deixa de ser difícil, pois o remorso parece não ter fim.

É importante que se lembre que não só o ato de usar de uma arma ou algo que leve à morte é entendido como suicídio, como também *"tudo quanto se faça conscientemente para apressar a extinção das forças vitais"*. Assim, uma displicência em relação à saúde, em dirigir, ao tomar medicamentos, a ter prazer em algum tipo de vício, também constitui maneiras de suicídio, ou seja, suicídio indireto.

Quando vivemos o luto, temos de ter em mente que temos o direito de sofrer, mas não de morrer junto!

Portanto, uma criatura que busca esse caminho para se encontrar com seus queridos terá uma grande decepção. Com certeza não irá para o mesmo plano que eles, que partiram no momento certo, mesmo que não aceite essa situação.

Ainda, *O Evangelho Segundo o Espiritismo*, capítulo 5, "Bem-Aventurados os Aflitos", que analisa o suicídio juntamente com a loucura, nos alerta: *"com calma e resignação dão ao Espírito uma serenidade que é a melhor defesa contra a loucura e o suicídio".*

ORAR E VIGIAR:

Nunca se deve dar tanta atenção a este dispositivo da mente, quanto nos muitos momentos de angústia e de solidão. Utilizando-nos da prece e da vigilância, podemos aliviar muitos males do pensamento. Ser e fazer feliz é a nossa destinação.

"A vida me ensinou a dizer adeus às pessoas que amo, sem tirá-las do coração."

Charles Chaplin

O que podemos fazer pelos que partiram?

> *Dentro de você existe um silêncio e um santuário aos quais pode se retirar a qualquer momento e ser você mesmo.*
>
> Deepak Chopra

O Espiritismo recomenda e enfatiza a prece pelos entes que partiram como uma das formas para que nossos queridos possam se sentir aliviados.

Sempre que um espírito pensa em outro, encarnado ou desencarnado, um fio fluídico se estabelece entre ambos, servindo de canal de ligação, de comunicação entre eles. É um canal de mão dupla, de ida e de volta.

Os pensamentos, sentimentos e desejos de um, como se fosse um telefone, podem ser captados e interpretados pelo outro, com maior ou menor intensidade, dependendo do vigor da fonte emissora do pensamento, do sentimento e do desejo. É como se, de alguma forma, os dois espíritos estivessem em contato íntimo, cada qual percebendo a presença do outro, em espírito.

A narrativa do espírito Patrícia, no livro *Violetas na Janela*[8], reforça-nos essa ideia. Após seu desencarne, acolhida em um hospital no mundo espiritual, relata "ouvir" os pensamentos de seus pais, principalmente de seu pai, que lhe inspirava:

> *Ouvia a voz de meu pai, ou melhor, sentia as palavras:*
> *– Patrícia, filha querida, dorme tranquila, amigos velam por você. Esteja em paz.*

Mais adiante, já mais bem restabelecida, é levada por sua avó à casa que seria sua nova moradia no mundo espiritual e surpreende-se ao reconhecer na janela de seu quarto as mesmas violetas que sua mãe mantinha em seu lar.

> *... Recordei dos vasos de violetas de minha mãe, que enfeitam os vitrôs de nossa cozinha. Pareciam as mesmas.*
> *– E são! – disse vovó. – Anézia plasma com muito amor as violetas para você. São réplicas das que enfeitam a cozinha do seu lar terreno.*
> *– Mas, vovó, como isto é possível? – indaguei admirada.*
> *– Sua mãe muito a ama e tem muita saudade. Saudade vinda do amor não satisfeito pela ausência do ser amado. Dela emana continuamente esse amor e saudade por você. Ela não desejava ou esperava sua vinda. Está se*

---

8. *Violetas na Janela*. Psicografia de Vera Lúcia Marinzeck de Carvalho, pelo Espírito Patrícia. São Paulo: Petit, 2013.

esforçando para não prejudicá-la, e assim ela canaliza seu carinho e oferece as flores a você.

Como se vê, não há distâncias para nos ligarmos aos nossos queridos. O ideal é que essa ligação de pensamentos represente preces espontâneas, uma conversa mesmo com aquele que partiu; mas, às vezes, nesses momentos, só conseguimos repetir preces prontas.

O Evangelho Segundo o Espiritismo traz-nos uma coletânea de preces e fala-nos da importância da oração pelos que acabam de deixar a Terra como forma de colaborar com o desligamento de seu espírito, tornando o despertar ao outro mundo mais tranquilo.

"Ante as lembranças queridas dos entes amados que te precederam na Grande Transformação, é natural que as tuas orações, em auxílio a eles, surjam orvalhadas de lágrimas. Entretanto não permitas que a saudade se te faça desespero."

*Espírito Emmanuel,
psicografia de Francisco C. Xavier*

Seja feita a tua vontade

> *Pai nosso, que estás nos céus, santificado seja o teu nome; venha o teu reino, **seja feita a tua vontade**, assim na terra como no céu; o pão nosso de cada dia nos dá hoje; e perdoa-nos as nossas dívidas, assim como nós perdoamos aos nossos devedores; e não nos conduza à tentação; mas livra-nos do mal; porque teu é o reino, e o poder, e a glória, para sempre.*
>
> Mateus 6,9-13

A prece ensinada por Jesus tem pautado a vida dos cristãos. Quando nos lembramos de que no mundo somos 30% da população dos mais de 7 bilhões de terráqueos, e todos os dias muitos têm o "hábito" de orar, com certeza são muitos "Pai-Nossos" proferidos todos os dias. Se levarmos em conta uma prece ao acordar e ao dormir, então dobramos esse número.

Será que realmente ao repetirmos a prece nos damos conta do que falamos?

Destacamos isso porque, quando "perdemos" um ente querido, normalmente, passamos pela fase da raiva contra Deus e a tudo que nos remeta à espiritualidade. Mas, mesmo assim, a maioria continua orando e não se dá conta de que repete – **Seja feita a Tua vontade** – sem atentar que essa "vontade" envolveu o afastamento dos nossos queridos e muitas vezes estamos rebelados contra ela.

Propusemos esse tema no nosso Grupo "Encontro Amigo", e alguns dos nossos enlutados riram, porque naquele momento perceberam a contradição das palavras e das intenções.

Na verdade dizemos: "Seja feita a Tua vontade", mas nos rebelamos contra ela em seguida!

Com essa prece Jesus nos ensina a orar; então, vamos orá-la, sim, repeti-la, repensando suas palavras, internalizando-as para viver e deixar viver melhor.

Em *O Evangelho Segundo o Espiritismo*,[9] capítulo 6, aprendemos que *"O Espiritismo... vem, enfim, trazer uma consolação suprema aos deserdados da Terra e a todos os que sofrem, dando uma causa justa e um objetivo útil a todas as dores"*. E os espíritos superiores nos orientam, em *O Livro dos Espíritos*,[10] que trazemos as Leis de Deus insculpidas na própria consciência e a certeza de que não desaparecemos quando morremos para esta vida. Portanto, nossos queridos estão em outra dimensão, vivem e buscam sua

---

9. *O Evangelho Segundo o Espiritismo*. Allan Kardec. São Paulo: Petit, 2013. Capítulo 6 – O Cristo consolador, item 4.
10. *O Livro dos Espíritos*. Allan Kardec. São Paulo: Petit, 2012.

evolução, tanto quanto devemos buscar a nossa, tendo a certeza de que Deus sempre fará por nós o melhor, mesmo que no momento não entendamos Suas razões!

Portanto, **Seja feita a Tua vontade**.

"Aqueles que amamos nunca morrem, apenas partem antes de nós."

Amado Nervo

Como você tem feito preces depois da morte de seu(sua) querido(a)?

Quando meditamos sobre o tema "prece", chegamos à conclusão de que oramos para pedir e dificilmente para agradecer. Muitas vezes o fazemos por intercessão a amigos ou diante de calamidades que nos comovem.

Em cada momento, em cada situação da vida fazemos orações "diferentes".

Quando "perdemos" um ente querido, também passamos por fases na oração.

Primeiro não oramos, não conseguimos... ou, se o fazemos, é de forma maquinal.

Passamos depois para a fase de orar pelos nossos queridos, porque ouvimos em algum lugar que eles precisam de nossas orações. Mas são sentimentos confusos que se apresentam, porque estamos acostumados a pedir a

Deus, e agora nosso maior desejo não pode mais ser atendido, acreditamos...

Como em tudo na vida, também o hábito de orar tem de ser experimentado e aprendido para que nossas preces sejam mais eficazes.

Quando vamos orar pelos nossos queridos que partiram, devemos fazê-lo para que eles encontrem a paz na nova fase e para que, após essa passagem pelo mundo material, aproveitem a ajuda daqueles que estão com eles, colaborando para que rapidamente se adaptem ao novo lar, pois, na realidade, lá é a verdadeira vida.

Pelo pensamento nos comunicaremos com eles. Como vivemos na era dos e-mails e dos celulares, podemos dizer que a oração funcionará como uma mensagem enviada, que com certeza será sentida, consolará e dará forças, onde quer que nossos queridos estejam.

Essas preces têm o objetivo de auxiliá-los no desprendimento do mundo material. A eficácia de nossas preces está na sinceridade dos nossos pensamentos, e não nas palavras bonitas e escolhidas que venhamos a proferir.

Diz-nos *O Evangelho Segundo o Espiritismo* que os pensamentos enviados ressoam como vozes amigas que os ajudam, enquanto se conscientizam de que agora vivem no outro lado da vida. A grande maioria passa por um momento de adormecimento até que seja despertada pelos benfeitores espirituais, que conscientizam os espíritos do momento que agora vivem.

Assim, o ideal é proferirmos preces do "fundo do coração", que são as mais sinceras e que seguem diretamente ao coração dos nossos queridos; são as preces verticais, que rasgam distâncias e prontamente chegam ao seu destino.

Por meio da prece voltamos a estar bem próximos dos nossos queridos.

"Existem três tipos de pessoas: as que se preocupam até a morte, as que trabalham até morrer e as que se aborrecem até a morte."

Winston Churchill

Será que minha prece chega até meu ente querido?

Portanto, quando o pensamento é dirigido a um ser qualquer na Terra ou no espaço, de encarnado para desencarnado ou de desencarnado para encarnado, uma corrente de fluidos se estabelece entre um e outro, transmitindo o pensamento entre eles como o ar transmite o som.

A intensidade dessa corrente de fluidos será forte ou fraca de acordo com a força do pensamento e da vontade de quem ora. É desse modo que a prece é ouvida pelos Espíritos em qualquer lugar em que se encontrem; é desta maneira também que os Espíritos se comunicam entre si, nos transmitem suas inspirações, e que as relações se estabelecem a distância entre encarnados.[11]

---

11. *O Evangelho Segundo o Espiritismo.* Allan Kardec. São Paulo: Petit, 2013. Capítulo 27 – Pedi e obtereis – Ação da prece – Transmissão do pensamento.

Convivendo com enlutados, ouvimos com frequência a preocupação de que não adianta orar pelos nossos queridos, porque a prece não chegaria até onde eles estão.

Vamos buscar em O Evangelho Segundo o Espiritismo a resposta a esse questionamento e encontraremos no capítulo 27 o item "Ação da prece e como ela se dá".

A prece é uma invocação, e através do pensamento fazemos a comunicação com o ser a quem ela se destina.

Dirigidas a Deus, as preces *"são ouvidas pelos Espíritos encarregados da execução das vontades D'Ele"*[12]. Quando oramos a outros, que não a Deus, estamos buscando apenas intermediários, já que nada sucede sem a vontade Dele.

O Espiritismo, ao falar da ação da prece, explica o modo de transmissão do pensamento, remetendo-nos ao fluido cósmico universal[13], onde estamos mergulhados, ou seja, tal fluido está em todo o espaço; todos os seres, encarnados e desencarnados, estão nele envolvidos.

Kardec, em A Gênese, fala-nos que:

> 15 – Sendo os fluidos o veículo do pensamento, este atua sobre os fluidos como o som sobre o ar; eles nos trazem o pensamento, como o ar nos traz o som. Pode-se, pois, dizer sem receio de errar, que há, nesses fluidos, ondas e

---

12. *O Evangelho Segundo o Espiritismo*. Allan Kardec. São Paulo: Petit, 2013. Capítulo 27 – Pedi e obtereis – Ação da prece – Transmissão do pensamento.
13. FCU = Fluido Cósmico Universal foi o nome dado pelos Espíritos ao fluido elementar imponderável que serve como intermediário entre o espírito e a matéria.

> *raios de pensamentos, que se cruzam sem se confundirem, como há no ar ondas e raios sonoros.*[14]

Esse fluido é o veículo do pensamento, como o ar o é do som, mas não há limites para essa propagação, já que fluido universal se estende ao infinito.

Assim, todo pensamento pode ser transmitido de um a outro, e nossas preces são sempre ouvidas e atingem aqueles a quem buscamos.

Quem já não passou pela experiência de pensar em uma pessoa e em seguida receber um telefonema dela?

Assim também os espíritos nos impressionam com boas e más ideias, pela ação do pensamento, que nos chega por meio do fluido universal que a todos envolve.

Entendemos que a oração não é só uma postura mística, mas sobretudo por meio da prece enviamos pensamentos amorosos e nos relacionamos com os espíritos que partiram para o mundo espiritual.

Quando pensamos em alguém, esteja ele onde estiver, nossas ondas-pensamento lhe chegarão e pela sintonia serão recepcionadas.

Daí também o alerta aos que ficam encarnados para não buscar em pensamento, a todo momento, seus queridos que partiram, pois eles continuam suas experiências, e as lembranças dolorosas que lhes chegam os influenciarão negativamente. Pensemos sim em nossos queridos, mas com amor, permitindo que eles prossigam suas caminhadas, como nós também buscamos seguir a nossa.

---

14. *A Gênese*. Allan Kardec. Rio de Janeiro: FEB Editora, 2007. Capítulo 14.

"A morte talvez não tenha mais segredos a nos revelar, que a vida."

Gustave Flaubert

Os cinco estágios da dor que o enlutado vive

A dor que te alcança é tua.
Ninguém a sofrerá por ti.
Os amigos se apiedarão, buscarão auxiliar-te, porém, o espinho estará cravado nas carnes da tua alma.
Da mesma forma, a felicidade que te chega é tua.
Haverá riso e satisfação entre aqueles que te amam, todavia, a sensação de júbilo não a podes repartir com ninguém.
Isto posto, no sofrimento, não imponhas amargura àqueles que te cercam; conforme a alegria, não podes fazer que eles se sintam ditosos.[15]

A reação psíquica determinada pela experiência com a **morte** foi descrita por Elisabeth Kübler-Ross[16] como tendo cinco estágios.

---

15. *Vida Feliz*. Psicografia de Divaldo P. Franco, pelo Espírito Joanna de Ângelis. Salvador: Livraria Espírita Alvorada Editora, 1994.
16. Elisabeth Kübler-Ross, M.D. (1926-2004) foi uma psiquiatra que nasceu na Suíça. Ela é a autora do livro *On Death and Dying*, no qual apresenta

Embora as situações sejam diferentes, o processo continua a ser o mesmo para qualquer pessoa que experimente uma "perda".

A primeira coisa que nos vem à mente é que cada fase desse processo é natural e saudável, mas ficar preso por muito tempo a alguma delas torna-se doentio, destrutivo.

É importante também que se diga que não há uma ordem na passagem dessas fases.

O objetivo desse processo será sempre chegarmos à aceitação da separação.

Assim, as fases do luto são: a negação, a raiva, a negociação, a depressão (dor/desespero) e a aceitação.

PRIMEIRO ESTÁGIO: NEGAÇÃO E ISOLAMENTO

O primeiro estágio: a negação e o isolamento são mecanismos de defesa temporários contra a dor psíquica diante da morte. A intensidade e a duração desses mecanismos de defesa dependem de como a própria pessoa que sofre e as outras pessoas ao seu redor são capazes de lidar com essa dor. Todos nós negamos a realidade que não estamos preparados para aceitar. Tantas vezes alguém vem nos contar sobre a morte de alguém e dizemos: "Não acredito!". Essa negação pode durar instantes ou anos.

Normalmente a pessoa apresenta-se assim:

→ Fica em estado de incredulidade.

---

o conhecido Modelo de Kübler-Ross. Após uma série de derrames cerebrais, Elisabeth faleceu aos 78 anos.

- → Faz perguntas como: Por que isso aconteceu? Por que não evitei isso?
- → Procura uma maneira de manter a pessoa junto a si, dessa forma não desarruma seu quarto, não doa seus pertences.
- → Pensa ver e ouvir a pessoa que se foi.
- → Começa a sentir a realidade do ocorrido.

Em geral, a negação e o isolamento não persistem por muito tempo.

Segundo estágio: raiva

Por causa da raiva que surge devido à impossibilidade de mantermos a negação e o isolamento, os relacionamentos se tornam problemáticos e todo o ambiente é hostilizado pela revolta de quem sabe que vai morrer. Junto com a raiva, também surgem sentimentos de revolta, inveja e ressentimento. Nessa fase, a dor psíquica ao enfrentar a morte se manifesta por atitudes agressivas e de revolta e naturalmente se questiona:

– Por que comigo? Com tanta gente ruim para morrer, por que eu, eu que sempre fiz o bem, sempre trabalhei e fui honesto!

Ou, ainda, ficamos com raiva da pessoa por ter morrido ou, às vezes, ficamos com raiva de Deus que a levou.

Transformar a dor psíquica em agressão é, mais ou menos, o que acontece com crianças com depressão. É importante, nesse estágio, haver compreensão dos demais sobre a angústia transformada em raiva.

Terceiro estágio: barganha (negociação)

Após a negação e o isolamento, "percebendo" que a raiva também não resolveu, a pessoa entra no terceiro estágio: a barganha.

Negociar é uma forma desesperada para conseguirmos que as coisas aconteçam como queremos. Negociar nos impede de enfrentar a realidade, é uma forma de negação. Até certo ponto é saudável, protege-nos de uma realidade que ainda não estamos preparados para aceitar, mas é destrutivo se perdurar por muito tempo.

A maioria dessas barganhas é feita com Deus e, normalmente, mantidas em segredo.

A pessoa passa a implorar que Deus aceite sua "oferta" em troca da vida, como, por exemplo, sua promessa de uma vida dedicada à religião, aos pobres, à caridade...

Na realidade, a barganha é uma tentativa de adiamento. Nessa fase o enlutado se mantém sereno, reflexivo e dócil, pois acredita que não se pode barganhar com Deus, ao mesmo tempo em que hostiliza as pessoas.

Quarto estágio: depressão (dor-desespero)

Essa é a fase mais associada ao luto, no entanto é apenas uma das partes do processo. O enlutado está se movendo, pois negar não adiantou, agredir e se revoltar também não, fazer barganhas não resolveu. Surge então um sentimento de grande perda. É o sofrimento e a dor psíquica de quem percebe a realidade *nua e crua*, como ela é realmente, é a consciência plena de que se nasce e morre sozinho. Aqui a depressão assume um quadro de desânimo, desinteresse, apatia, tristeza, choro, etc.

A dor pode conduzir à depressão, que pode imobilizar e fazer sentir o desamparo. Pode-se começar a sentir pena de si próprio, a ter autopiedade.

Ao chegar aqui, o enlutado deve procurar ajuda de profissionais como médicos e psicólogos.

Quinto estágio: aceitação

Aceitação – esse é o objetivo de todo o processo do luto. Nessa fase, o enlutado passa a aceitar que não pode mudar a dura realidade, a pessoa não irá voltar. Chega a um acordo com a realidade, e isso traz serenidade e paz. É importante que se faça uma diferença entre admitir a impotência e a sua aceitação. Aceitar é um processo mais amplo, pode levar algum tempo, tempo esse que depende de pessoa a pessoa.

Nessa fase, geralmente a pessoa começa a olhar para o futuro e passa a não se concentrar no passado, desenvolve novos relacionamentos e atitudes positivas, enfim, ajusta-se à realidade da "perda".

Dependerá de cada um avançar ou se deixar envolver em uma ou mais etapas do processo do luto.

Portanto o luto tem **começo**, **meio** e **fim**!

Embora saibamos que a morte desorganiza e deprime, creiam: o luto tem **começo**, **meio** e **fim**.

Quando se ultrapassa a fase do luto, inicia-se uma reconstrução da vida, ou seja, a pessoa passa a encontrar sentido na nova vida.

Na sequência, consegue-se amar as pessoas que ficaram e passa-se a aceitar a realidade da separação. Enfrentamos as emoções do pesar, adaptamo-nos à vida sem a pessoa, encontramos maneiras adequadas para nos lembrar daquele que partiu, reconstruímos os sistemas filosóficos e a fé, abalados pela "perda", além da própria identidade.

Nesse processo, a dor da ausência se transforma em saudade, e a vida continua, com outro sentido. Costumamos dizer que se passa da **saudade com dor** para **saudade com amor**.

"Para receber elogios, o melhor meio é morrer."

Provérbio italiano

Quando é hora de levar o enlutado ao médico/psicólogo?

A melhor saída para enfrentar o luto é falar sobre ele!

Ao acompanhar o desencarne de alguém muito próximo, passamos a refletir sobre os relacionamentos e a forma como estamos levando a nossa vida.

Embora este processo seja natural, a dor e a tristeza podem se estender por um tempo muito prolongado, desafiando os profissionais da área da saúde a encontrar soluções para o seu enfrentamento.

O luto que se prolonga, chamado patológico, não é diferente do luto dito normal. A diferença está nas reações, que no primeiro são mais intensas, e no tempo que perdura.

A maior intensidade ocorre na hora em que se "perde" o ente querido. Esse sentimento, porém, vai decrescendo, mesmo que muitos não acreditem, até tornar-se, progressivamente, uma lembrança.

É normal que a tristeza ante a "perda" persista após semanas ou alguns meses, mas, se os anos passam e a pessoa continua presa àquela situação, rememorando e chorando pela pessoa que partiu, há fortes indícios de que o luto não foi elaborado.

Mortes trágicas, inesperadas, violentas, principalmente envolvendo crianças e adolescentes, podem ser os motivadores desse tipo de luto.

Se após a morte o enlutado persistir no processo de luto por mais de seis meses a um ano, é provável que seja hora de buscar ajuda profissional. Os principais sinais e sintomas de que ele possa estar com problemas são:

- alucinações e memórias espontâneas relacionadas à pessoa que ele "perdeu";
- fortes períodos de emoção relacionados com a pessoa falecida;
- anseios ou fortes desejos de que a pessoa falecida esteja presente;
- sentimentos de intensa solidão e vazio;
- afastamento ou evitação de pessoas ou locais que recordem o(a) falecido(a);
- distúrbios do sono;
- perda de interesse pelas atividades profissionais, sociais e cotidianas.

Esses são sintomas de um processo que impede que a pessoa retorne às suas atividades cotidianas, dando início ao que se chama de **luto patológico**.

Para esses casos, apesar das resistências, os familiares deverão encaminhar o enlutado a profissionais especialistas, como psicólogos ou psiquiatras.

De acordo com os especialistas, esse tipo de luto patológico pode ser divido em três tipos:

1) "Luto crônico", ou seja, aquele que tem duração excessiva e nunca chega a um término satisfatório.
2) "Luto retardado ou ausente", em que, apesar de uma reação normal à perda, o indivíduo não exibe condições suficientes para superá-lo.
3) "Luto severo", no qual há uma intensificação do sentimento.

Os determinantes que podem provocar um luto patológico estão ligados a questões envolvendo o relacionamento com a pessoa que desencarnou, como: quem era a pessoa que desencarnou, a natureza dessa ligação, a forma que esse desencarne ocorreu, a história de vida, etc.

Esse sentimento também pode estar ligado à personalidade de quem sofre com o luto.

Uma das possíveis causas dessa patologia é o chamado "adiamento" ou "negação do sentimento".

No luto adiado, ou seja, as reações imediatas à morte não são vivenciadas na ocasião e são acionadas mais tarde por meio de outras situações, com uma carga emocional que desencadeia o processo.

No luto negado, o "enlutado" não dá vazão ao processo, bloqueando-o e agindo como se nada tivesse acontecido, negando todos os sinais de sofrimento e dor.

Alguns vivem a sensação de deixar o sofrimento de lado e imaginam que a pessoa poderá chegar a qualquer momento, ou seja, acredita-se que o ente querido ainda está presente, silenciosamente observando e julgando.

O luto patológico deve ser tratado pelo psicólogo, e às vezes é necessário também o acompanhamento psiquiátrico, pois, devido à gravidade do transtorno, o uso de medicamentos geralmente é necessário.

Procurar um grupo de ajuda para compartilhar com pessoas que vivem momento semelhante e, principalmente, buscar canalizar-se para o trabalho voluntário, normalmente voltado a outros, normalmente contribuem para sua melhora.

A cura se dá após o reconhecimento e a aceitação da morte ocorrida e com a retomada do controle de suas emoções. Lembrar sempre que o enlutado deve ser alguém EM LUTA!

"Que o teu trabalho seja perfeito para que, mesmo depois da tua morte, ele permaneça."

Leonardo da Vinci

Transformando "perdas" em ganhos

> *Onde está, ó morte, a tua vitória? Onde está o teu aguilhão?*
>
> Paulo (I Coríntios 15,55-57)

Para sobreviver após o desencarne de um ente querido, é preciso levar muito a sério esta frase: "Transformar perdas em ganhos".

Nós, seres humanos, frequentemente conseguimos transformar desvantagens em vantagens, mas dificilmente encontraremos pessoas dispostas a ter uma visão mais tranquila com relação à morte e, mais ainda, que se possa ter um ganho!

Encarar a dor da separação também envolve lidar com os sentimentos de posse e egoísmo. Em geral, insistimos em querer que a pessoa querida fique perto de nós, pois, ilusoriamente, pensamos que assim o amor não desaparece.

Sabe-se, porém, que tanto o amor quanto o ser amado não desaparecem com o desencarne.

A elaboração do luto ajuda-nos a sobreviver melhor.

O apóstolo Paulo, ao falar sobre a morte, perguntou: "onde está, ó morte, a tua vitória? Onde está o teu aguilhão?".

Para os que realmente acreditam na transitoriedade da vida física e sabe que a verdadeira vida é a espiritual, a qual é perene, a morte em si é encarada com serenidade, muito embora a saudade seja um grande desafio desse momento.

Para quem crê, a certeza de que a vida prossegue e o ser amado vive, agora junto à família espiritual, e de que após o término da nossa jornada nos reencontraremos é um grande consolo!

Pensando e sentindo assim, temos condições de transformar o pensamento de que a morte seja um infortúnio. Certamente, é um momento difícil, mas não desgraça, exceto para quem não crê na vida verdadeira, que se estende para além das portas da morte.

No entanto, o amor por aquele que partiu não desaparece, assim como quem parte não desaparece, simplesmente muda de plano – do físico para o espiritual.

Aceitar a morte não significa desistir da vida, mas com a aceitação há um amadurecimento na confiança. Não há luta, mas uma abertura; todas as nossas resistências são abandonadas. Ao afirmarmos isso, nós o fazemos calcados em exemplos que mostram ser possível transformar perda em ganho, e, mais, o número de exemplos se multiplicam.

Destaco um: o cantor e compositor britânico Eric Clapton, que, ao "perder" seu filho Conor, de 4 anos, que caiu de uma janela de seu apartamento no 53º andar, trabalhou seu luto, que paradoxalmente transformou-se no maior sucesso de sua carreira: "Tears in heaven".[17]

Emocionou o mundo e elaborou seu luto, encontrando em seu interior as ferramentas de que precisava para seguir em frente.

---

17. Em tradução livre, "Lágrimas no Paraíso". Canção que integra o álbum *Rush*, de 1992. (N.E.)

"Eu sou aquela mulher, que fez
a escalada da montanha da vida,
removendo pedras e plantando flores."

Cora Coralina

Aceitação e entrega

Mulher, eis aí teu filho; filho, olha aí a tua mãe.

João 19,26-27

Postura de Maria de Nazaré diante da cruz

Francisco Cândido Xavier, melhor que ninguém, acompanhou o infortúnio de tantas mães que o procuravam aguardando notícias de seus filhos desencarnados. Ele sempre afirmou que não conheceu dor maior do que a de uma mãe que "perde" seu filho. Dedicou-se, por anos, a esse trabalho de consolo, psicografando mensagens que ligavam os dois lados da vida.

Maria de Nazaré é o símbolo da mãe universal e ela também experimentou esse momento quando seu filho amado foi levado à morte no madeiro infamante.

Ela nos legou o maior exemplo de entrega. Acompanha-o até seus últimos momentos, quando Jesus pede a João, o evangelista, que a acolha dali para diante como sua mãe e que ela o aceite como filho. Foi o que aconteceu.

Após a crucificação e a separação dos discípulos, que se dispersaram por lugares diferentes, Maria segue para Éfeso[18] em companhia de João, que nunca esquecera as recomendações de Jesus, na cruz: "Filho, eis aí tua mãe!".

Os dois instalaram-se em Éfeso, no alto de uma colina de onde se avistava o mar. A casa simples e pobre atraiu em pouco tempo muitos necessitados que iam buscar ajuda e ouvir de Maria sobre a vida de seu filho. O próprio evangelista Lucas, mais tarde, colhe com ela as informações de seus Evangelhos.[19]

Enquanto João pregava na cidade as verdades de Deus, Maria atendia a todos, transmitindo-lhes os mais puros sentimentos de ternura e amor.

Paulo de Tarso[20] conheceu-a e impressionou-se com a humildade daquela criatura, que mais se assemelhava a um anjo vestido de mulher. Ele pretendia escrever um evangelho com as narrativas de Maria, mas sua tarefa era outra, a divulgação, e assim ante suas constantes viagens, abandonou essa ideia.

Maria nos dá o exemplo de que devemos construir algo com nossa dor. Antes de se revoltar diante da morte infamante de seu filho, faz sua entrega e vai socorrer os aflitos do caminho.

---

18. Cidade greco-romana da Antiguidade. (N.E.)
19. *Boa Nova*. Psicografia de Francisco Cândido Xavier, pelo Irmão X. Rio de Janeiro: FEB Editora, 2011.
20. Também conhecido como São Paulo ou Apóstolo Paulo. (N.E.)

Por intermédio da mediunidade de Yvonne A. Pereira, no livro *Memórias de um suicida*[21], temos notícias de que Maria mantém no plano espiritual atendimento no Vale dos suicidas, representado pela Legião dos Servos de Maria.

Yvonne colheu as informações do espírito Camilo Castelo Branco, escritor português do século 19, que aportou no mundo espiritual pelo suicídio. Foi socorrido amorosamente por essa equipe e levado ao Hospital Maria de Nazaré, um local de transição, no mundo espiritual.

Conta-nos ele: *"Daquele momento em diante estaríamos sob a tutela direta de uma das mais importantes agremiações pertencentes à Legião chefiada pelo grande Espírito Maria de Nazaré, ser angélico e sublime, que na Terra mereceu a missão honrosa de seguir, com solicitudes maternais, aquele que foi o redentor dos homens!"*.

Assim, busquemos em Maria, e em tantas mães que sobrevivem exemplificando sua entrega, um caminho a seguir. Não nos detenhamos diante da dor, por maior que ela seja. Levantemo-nos e prossigamos no trabalho, posto que, ajudando, nos ajudamos.

---

21. *Memórias de um suicida*, de Yvonne A. Pereira (1906-1984), sob a supervisão do espírito Léon Denis, narra a história de um suicida logo após a sua morte, identificado no livro com o pseudônimo de Camilo Cândido Botelho. (FEB Editora, 2013)

"A sua ausência nos causa profunda tristeza, mas relembrar as alegrias que você gerou entre nós é como se você aqui estivesse presente."

Anônimo

Por que as pessoas estranham se você está bem após o desencarne de seu ente querido?

Para falar ao vento, bastam palavras.
Para falar ao coração, é preciso obras.

Pe. Antonio Vieira

Se por um lado temos de vencer, mesmo a duras penas, as fases do luto, às vezes ainda deparamos com a dificuldade de nos relacionar com as pessoas que se incomodam com nossa postura de tocar nossa vida sem nossos queridos.

É comum ouvirmos em nosso Grupo de Apoio participantes dizer que foram criticados por estar bem, por parar de chorar, por voltar ao trabalho e seguir em frente.

É de pasmar, mas muitas pessoas se sentem incomodadas com a superação desse momento!

É certo que nem sempre conseguimos agradar a todos! Muitas vezes nem a nós mesmos, pois gostaríamos de ficar parados, sofrendo, chorando, isolados, mas apenas pioraríamos nossa vida e ainda estaríamos prejudicando nossos queridos, no mundo espiritual, com essa postura.

O importante é que uma postura consciente e firme deve dizer respeito a si e àquele que partiu, e a pessoa deve prosseguir trabalhando, superando os momentos de desafio e vivendo a vida que Deus abençoou.

Quem ainda não entende essa postura ou não quer entender aprenderá aos poucos que a "entrega" de nossos queridos à nova vida, aliada ao trabalho construtivo, será o passaporte seguro para momento tão delicado, que exige muita determinação por parte daquele que fica.

Com essa postura confiante, nossos entes queridos estarão tão bem quanto aqui estaremos nos esforçando para permanecer.

O momento de superação será fatalmente entendido e aceito por quem está ao nosso lado, e esses exemplos serão alavancas de convencimento para aqueles que ainda não pensam como você. Nesta via de mão dupla, melhoramos aqui com benefícios do lado de lá também!

"Cada dia traz seus próprios presentes. Solte os laços."

Ruth Ann Schabacker

Doação dos bens do falecido: o que fazer? Devo manter intacto seu quarto?

Passado o impacto do funeral, a vida nos pedirá ações, e cada um reagirá de uma maneira. O que fazer com as roupas e os pertences de nossos queridos?

Muitos optam por doá-los, e, a princípio, apoiados nos ensinos dos espíritos superiores, diríamos que essa é a melhor maneira de nos comportarmos, mas não podemos esquecer que cada caso é um caso e nesse momento devemos nos lembrar de que cada um tem seu momento e devemos respeitá-lo.

Somos partidários de que a doação deve ser precedida de uma prece. Como que em uma autorização mental, nos ligamos ao desencarnado e esclareceremos os benefícios desse ato.

O ideal nesse momento é pedirmos a ajuda a alguém próximo, que nos dará forças para a tarefa, pois também pode acontecer de, na ânsia de resolver a situação, podem ser perdidos documentos importantes, ou fotos, que são lembranças preciosas.

Em nossa casa espírita recebemos muitas doações, inclusive de famílias enlutadas. Apesar de ser hábito o Culto do Evangelho[22] e das preces no ambiente em que esses bens foram selecionados e repartidos, ainda assim um campo espiritual, às vezes denso, acontece, porque o objeto doado está impregnado das vibrações de seu dono.

As preces ali realizadas são elementos renovadores que auxiliam os espíritos que ainda se sentem ligados aos seus bens terrenos.

Essa postura respeitosa facilita também o desprendimento de laços mentais que possam existir junto a esses bens.

Assim, por meio de preces esclarecedoras e renovadoras, a doação dos bens funcionarão como um benefício ao desencarnado, já que se estabelece com a prece uma corrente fluídica de auxílio e conforto entre quem fica e quem parte, ajudando e muito nessa fase de enfrentamento da "perda".

Outro aspecto que devemos levar em conta é que principalmente roupas e calçados devam ser doados, porque eles terão utilidade a muitos necessitados, e mais vale onde são úteis do que inutilmente guardados nos armários.

---

22. Evangelho no Lar: prática realizada uma vez por semana em horário determinado, tendo como objetivo estudos das lições do Mestre Jesus, vibrações para os necessitados e proteção do lar.

É importante lembrar, também, que muitas pessoas que partem normalmente deixam, se religiosas, livros ou símbolos próprios de seu culto religioso. Se para elas tinham grande significado, para quem fica pode ser que não. Nessa hora, devemos nos atentar ao respeito a esses objetos, encaminhando-os a quem lhes possa dar o necessário valor e a quem serão de grande utilidade, sempre agindo com respeito e não apenas descartá-los, muitas vezes, no lixo.

Todos esses cuidados prendem-se à preocupação em não ferir sentimentos, pois sabemos que, dependendo da evolução espiritual daquele que partiu, ele não se prenderá às coisas materiais, mas é importante a atenção e o respeito nesses momentos.

Muitas mães mantêm o quarto do filho intacto, na sensação de que ele poderá voltar a qualquer momento.

Essa postura adia a solução do luto e ainda cria uma vinculação daquele que partiu ao ambiente, quando para ele o ideal seria a libertação. Para quem fica, essa atitude mantém o sofrimento, o que é prejudicial para si e para o seu querido que partiu antes.

Transforme o quarto que era da pessoa em um cômodo neutro o mais rápido possível, para ele não virar um daqueles quartos que ninguém quer entrar porque tem muitas lembranças ou, ainda, se for impossível por questão de espaço, remodele-o.

É natural que queiramos reter com muito carinho alguns objetos que nos trazem boas recordações.

Aproveitemos esse momento de muito aprendizado, implantando em nossa vida o desprendimento dos bens materiais, que tanto nos ajudará quando daqui partirmos.

Tenhamos em mente que as lembranças que devemos guardar estão em nossa mente e em nosso coração, e não nos objetos deixados pela pessoa.

Precisamos ter coragem para nos levantar e começar de novo.

Devo visitar o túmulo do meu ente querido?

Passado o velório, o período que se segue geralmente é bastante conturbado emocionalmente e cada um se comportará de acordo com suas crenças.

Há pessoas que se sentem atraídas à visitação ao túmulo, seja para se lembrar de seus queridos que se foram, ou mesmo para "agradar-lhes", mantendo a tradição da família.

As visitas periódicas ao cemitério poderão, ao invés de ajudar, perturbar o desencarnado, pois lá se encontra somente o corpo material em estágio de decomposição; o espírito vive liberto no mundo espiritual, e as lembranças constantes das circunstâncias da morte poderão lhe trazer desequilíbrio e tristeza desnecessários, tanto para quem fica como para quem parte.

Devemos também considerar que muitas vezes o espírito desencarnado passa no mundo espiritual por um período de recuperação mais ou menos longo, que devemos respeitar e, mais do que isso, abreviar com nossas preces e pensamentos construtivos, evitando levar até eles o nosso desespero e o nosso sofrimento. Os entes queridos ainda permanecem ligados a nós após a morte, como se entre nós e eles existisse indestrutível ligação, de modo que choram, sorriem, sofrem ou permanecem felizes, conforme o nosso próprio estado de espírito.

Esclarecem-nos os benfeitores espirituais que o melhor é utilizar os valores gastos com velas, flores, coroas, que não beneficiam o espírito, mas poderão ser mais bem utilizados suavizando as dificuldades alheias, fazendo a caridade em nome de nossos queridos.

Não devemos nos esquecer de que o pensamento positivo de amor que lhes endereçarmos lhes serão agradáveis.

No livro *Jovens no Além*, como já vimos anteriormente, o jovem Wady Abrahão tem ciência de que seu pai entrara em verdadeiro desespero, a ponto de passar as noites deitado na lápide do filho para que ele não permanecesse sozinho.

Por meio das mãos abençoadas do médium veio o pedido do filho para que seu pai abandonasse essa prática, que só o martirizava.

É a partir desses exemplos que nos fortalecemos e trabalhamos nossas lembranças de maneira diferente.

"A felicidade não entra
em portas trancadas."

*Espírito Emmanuel,
psicografia de Francisco C. Xavier*

Meu ente querido partiu pelo suicídio. E agora?

Um milhão de pessoas se suicidam, por ano, no mundo, um número maior que o total de vítimas de guerras e homicídios, segundo relatório da OMS (Organização Mundial de Saúde).[23]

Os momentos que passamos são momentos de transição, segundo alerta dos espíritos benfeitores, marcados por provas e expiações amargas. Nem sempre se consegue conviver com o sofrimento, seja físico ou emocional.

Sentindo que o fardo fica muito pesado, alguns optam, equivocadamente, pelo suicídio, acreditando que se livrarão do sofrimento e que a morte é um passaporte para uma vida sem sofrimento.

Grande engano!

E para quem fica a dor emocional de "perder" um ente querido deixa-o em desespero, sem entender o porquê.

---

23. Conforme relatório da OMS (2012), a cada 40 segundos, uma pessoa comete suicídio no mundo. (N.E.)

A incredulidade, a falta de fé, a dúvida, as ideias materialistas, a ideia de que o nada é o futuro – tudo isso é como se o nada pudesse oferecer consolação, como se fosse remédio para supostamente abreviar o sofrimento; essa crença, na verdade, se constitui em ato de infelicidade para si e para os que o rodeiam.

Aquele que vê seu ente querido partir pelo suicídio sente uma dor incomensurável, principalmente porque fica sem entender o que gerou tal ato.

Muitas são suas causas:

a) Desespero – o indivíduo se acha incapaz de arcar com os compromissos da vida.
b) Visão materialista da vida (crer no nada).
c) Condições patológicas, como depressão, dependência química (considerada doença).
d) Influência espiritual (obsessão).
e) Tendências reincidentes (suicídio em outras vidas).

A falta de esperança e de fé leva o indivíduo a querer solucionar o que acredita não ter solução, só que esse ato não elimina a vida, mas sim acaba acarretando dores e normalmente o remete a provas superiores àquelas das quais tentava fugir.

A grande preocupação, principalmente de pais de suicidas, é como estão seus filhos queridos?

Os espíritos nos esclarecem que as causas que levaram nosso ente querido a esse ato são determinantes de sua condição no mundo espiritual.

Muitas vezes os encarnados são inspirados por espíritos perversos; então, as consequências desse ato serão "divididas" entre ambos, um que inspirou e outro que aceitou a ideia infeliz. Os amigos espirituais nos explicam que as provações a que são conduzidos os que buscam fugir da vida só poderão ser resgatadas pelo amor de Deus, que renova a todos, oferecendo oportunidades de reconstrução e reequilíbrio.

Cada espírito tem uma história à parte e não podemos dizer que todos os suicidas irão para esse ou aquele local; também não se pode fazer previsões quanto ao tempo que eles ficarão presos, ou não, ao corpo. Isso varia de espírito para espírito, dependendo do tempo que levarão para harmonizar sua mente e entender o apoio que está lhes sendo dado. Dentro da misericórdia divina há notícias do plano espiritual de que um contingente enorme de espíritos socorristas atendem os espíritos nessas condições.

O livro *Memórias de um Suicida*, de Yvonne do Amaral Pereira, relata o local espiritual chamado "Vale dos Suicidas", que nos apresenta um exemplo, falando-nos de um grupo de trabalhadores, os chamados "Legião dos Servos de Maria", já que tal Vale tem a proteção direta de Maria de Nazaré, mãe de Jesus.

Os familiares e amigos devem ter essa consolação ante a misericórdia divina, que não desampara a ninguém e está sempre pronta a nos ofertar novas oportunidades de recomeço e reparação dos nossos atos impensados. Esse deve ser o nosso pensamento, a fim de ajudá-los e termos consolação.

Os familiares e amigos de um suicida precisam ficar em guarda contra pensamentos que os remetam a buscar a morte para encontrar seu ente querido. É muito comum sermos procurados por familiares que perderam entes queridos e pensam em "encontrar-se" com eles.

Não se deve buscar esse caminho, pois as consequências serão desastrosas, adiando em muito o reencontro com o ente querido.

No livro *O Céu e o Inferno*, de Allan Kardec, 2ª parte, capítulo V, há um relato de uma mãe que se suicida logo após a desencarnação de seu filho. Sua intenção era acompanhá-lo, mas não aconteceu o esperado.

O que podemos fazer para ajudar nossos queridos que partem pelo suicídio?

É importante orarmos pelos suicidas, compadecendo-nos de suas dores, sem condená-los.

Nessa hora de aflição, vamos procurar ter ânimo. Se seu familiar ou amigo partiu da Terra por esse meio, recorramos à oração sincera e à prática do bem, com resignação, fé e confiança. A oração nos traz a certeza de que as circunstâncias se modificam. Mais hoje, mais amanhã surgem oportunidades para superar obstáculos aparentemente intransponíveis, e as rudes provas são ultrapassadas. Confiar, fazendo o melhor de nós.

Há esperanças para nossos irmãos suicidas. O caminho de volta é trabalhoso, mas o amor de Deus sempre nos oferece condições de evolução, e a reencarnação, mesmo sacrificial, será a porta da regeneração.

Nesse sentido, a médium Yvonne do Amaral Pereira lembra que um suicida, ao reencarnar, sofrerá mais ou menos na mesma época em que cometeu o ato suicida ímpetos de repeti-lo, necessitando, portanto, do apoio dos familiares para vencer as dificuldades que ele mesmo amealhou em seu psiquismo.

Daí termos elencado anteriormente o item "e", das causas de suicídio.

Orientam-nos os espíritos amigos que todos os suicidas, sem exceção, lamentam o erro praticado e são concordes na informação de que só a prece alivia os seus sofrimentos. Quanto poderemos ajudá-los com nossas preces? Tenhamos fé e esperança no futuro!

Portanto, familiares e amigos do suicida de ontem ou de hoje, não se exasperem. Ao contrário, mantenham viva a esperança de que é possível a remissão das faltas e que o Pai de Misericórdia propiciará os meios de fazer com que o próprio autor do ato extremo se reconheça como espírito eterno e indestrutível, que somos todos nós, e que a fé e a esperança serão os mais seguros preventivos contra as ideias autodestrutivas.

Lembremos sempre que Deus é bondade infinita e, portanto, não permite que Suas criaturas sofram indefinidamente, e que esse sofrimento poderá ser abreviado graças às orações sinceras e cheias de amor de todos os que buscam a felicidade.

Cinco lembretes antissuicídio

1) A vida não se acaba com a morte. A morte não significa o fim da vida, mas somente uma passagem para outra vida: a espiritual.
2) Os problemas não se acabam com a morte. Eles são provas ou expiações que nos possibilitam a

evolução espiritual, quando os enfrentamos com coragem e serenidade. Quem acredita estar escapando dos problemas pela porta do suicídio está somente adiando a sua solução.
3) O sofrimento não se acaba com a morte. O suicídio só faz aumentar o sofrimento. Os espíritos de suicidas que puderam se comunicar conosco descrevem as dores terríveis que tiveram de sofrer ao adentrar o mundo espiritual, devido ao rompimento abrupto dos liames entre o espírito e o corpo. Para alguns suicidas, o desligamento é tão difícil que eles chegam a sentir seu corpo se decompondo. Além disso, há o remorso por ter transgredido gravemente a Lei de Deus, perante a qual suicidar-se equivale a cometer um assassinato.
4) A morte não apaga nossas faltas. A responsabilidade pelas faltas cometidas é inevitável e intransferível. Elas permanecem em nossa consciência até que a reparemos.
5) O Espiritismo propicia esperança e consolação quando oferece a certeza da continuidade infinita da vida, que é tanto mais feliz quanto melhor suportarmos as provas do presente.

Fonte: FOELKER, Rita. *Palavras simples, verdades profundas*. Capivari: Editora EME, 1998.

"Se os mortos pudessem
ler os epitáfios que seus herdeiros
lhes consagram, achariam que
entraram no cemitério errado."

Autor desconhecido

Construindo com a dor

Se não cuidar de mim, quem o fará?
Se não cuidar dos outros, de quem cuidarei? Se não for agora, quando será?

Autor desconhecido

Essa frase nos remete à profunda meditação: ***"Se não cuidar de mim, quem cuidará?"***.

Passados os primeiros meses da morte de nossos queridos, as pessoas que nos rodeiam acabam por retomar suas rotinas e naturalmente vamos ficando em silêncio, ou às vezes não queremos mais preocupar nossos familiares e amigos e nos mostramos fortes, mas internamente ainda não estamos bem.

Nesse momento precisamos voltar as atenções para nosso mundo íntimo, daí a necessidade de focar em tratamentos psicológicos, espirituais, buscar atividades, de maneira que com essa ajuda possamos prosseguir.

Muitas mães que "perderam" seus filhos somente encontraram paz quando buscaram ajudar alguém, quando procuraram trabalhar pelo próximo. Vemos o exemplo da mãe de Cazuza,[24] da irmã de Ayrton Senna,[25] para citarmos apenas algumas, que criaram institutos voltados à ajuda a doentes e crianças. Muitos anônimos também transformaram a dor em amor, passando a participar de trabalhos voluntários.

Daí a frase *"Se não cuidar dos outros, de quem cuidarei?"* ser uma valiosa proposta!

É no olhar para o outro que também encontramos forças para prosseguir.

Como é maravilhoso observarmos que a dor é uma força propulsora que nos impele a vencer barreiras e utiliza os iguais para, mutuamente, ajudarem-se!

Buscando o próximo que necessita, enxugamos nossas lágrimas e apoiamos quem precisa.

"Se não for agora, quando será?". Essa frase nos impulsiona à ação, nos movimenta, porque quando passamos por momentos difíceis, ficamos parados. A sensação é de que não temos forças para agir, mas o alerta *"quando será?"* nos tira do marasmo. Intimamente ouvimos: "É agora!".

Quantas crianças em orfanatos precisam de um carinho que podemos dar?

Quantos asilos, onde idosos esquecidos precisam reviver a alegria de uma visita?

---

24. Cantor, compositor e poeta, Cazuza faleceu em 1990, em decorrência da AIDS. (N.E.)
25. Tricampeão mundial de Fórmula 1, morreu em um trágico acidente durante o Grande Prêmio de San Marino, Itália, em 1994. (N.E.)

Quantas instituições necessitam de mãos laboriosas para obter recursos para sua manutenção?

Procure, abra-se para a ação, você merece ser feliz!

Mãos à obra!

"Recorda-os, efetuando, por eles, o bem que desejariam fazer. Imagina-lhes as mãos dentro das tuas e oferece algum apoio aos necessitados."

*Espírito Emmanuel,
psicografia de Francisco C. Xavier*

Saudades com amor

> *A saudade agora é uma oração de esperança. E a esperança é um caminho de amor.*[26]
>
> Augusto César Neto

Por mais que se alongue, a existência física na Terra não passa de uma estação temporária.

Desde o momento em que nascemos começamos a morrer; assim, o retorno será inevitável.

A lembrança dos desencarnados nos faz feliz, e pelo pensamento nossa mensagem chega até eles, que se renovam.

Mesmo dominados por imensa saudade, tudo devemos envidar para que, tanto nós quanto eles, sintamo-nos bem para prosseguir.

No mundo espiritual, os nossos amados rogam pelas boas lembranças, recordações de amor e carinho, jamais

---

26. *Jovens no Além*. Augusto César Neto. São Bernardo do Campo: GEEM Editora, 2012.

pelo desespero. A dor incontrolável, a angústia desmedida, a falta de fé e confiança podem abalar quem necessita de conforto na nova morada no mundo espiritual, e ninguém quer aumentar o sofrimento daquele que partiu. Assim, vamos trabalhar nossos sentimentos, vamos buscar a superação deste momento, que não é o acaso que nos traz.

Saudade sim, **mas saudades com amor** – esse é o lema do nosso Grupo de Apoio, e que o convidamos a adotar em sua vivência, lembrando que as saudades só brotam nos corações daqueles que muito amam.

"Saudade é um dos sentimentos mais urgentes que existem."

Clarice Lispector

Você tem escondido as fotos dos entes queridos que se foram?

Esse assunto é muito debatido em nosso Grupo de Apoio e Acolhimento, e observamos que não há conduta idêntica por parte dos familiares. Enquanto uns começaram a cultuar seus pertences e fotos, como se fossem eles próprios, outros escondem suas fotos, afirmando não ter coragem de revê-las por causa do contraste de sentimentos, uma vez que representam um período de felicidade.

A pessoa que tem esse comportamento certamente tinha planos de convivência e realizações com o ente querido que, fisicamente, não está mais presente.

A dor da "perda" é grande para todos, mas se o recém-desencarnado era jovem, o inconformismo toma conta e as pessoas não têm condições de olhar para aquelas fotos alegres, bonitas, sem pensar: "Ah! ele(a) tinha tanto pela frente! Era tão bonito(a)!". Alguns pensam até que Deus não foi justo!

E se quem partiu era pessoa idosa, ainda que reduzidas a um farrapo humano pelas doenças degenerativas? Mesmo assistindo a um sofrimento horrível, ainda assim, queremos nosso(a) querido(a) perto de nós.

Essas situações nos fazem refletir. Se analisarmos sinceramente, o egoísmo aparece como principal causa dessas atitudes. Observamos filhos totalmente dependentes emocional e psicologicamente de seus pais, que não querem se apartar de sua presença, não aceitam o desencarne, então, as fotos pela casa representam um retornar de sofrimento, daí escondem-nas.

São casos em que a dor vai durar o tempo certo da ACEITAÇÃO!

Se acreditamos que tudo termina com a morte do corpo, que aqueles que amamos desapareceram, realmente é insuportável sobreviver, mas se entendemos que a vida é eterna, que as reencarnações são sucessivas, que nossos queridos não desapareceram no nada, **não ficaremos** desesperados por nossos amados terem voltado antes para a verdadeira morada.

Que cada um analise seu tempo, que cada um trabalhe e busque rapidamente se reequilibrar. Ter uma foto em local visível da casa só será motivo de alegria em nossa vida, pois ela nos ajudará a ter nossos queridos novamente conosco e ligados a momentos felizes, que foram retratados para sinalizar como eles gostariam de ser lembrados.

"Saudade é o amor que fica."

Autor desconhecido

Aquele que desencarna também se ressente da nossa ausência

O Espírito André Luiz, por meio da psicografia de Francisco Cândido Xavier, ditou uma série de dezesseis livros retratando suas experiências na Colônia Espiritual Nosso Lar[27], retratada em filme de mesmo nome, mostrando-nos que aqueles que partem também se ressentem das mudanças que a morte traz.

Encontramos no quarto livro de André Luiz, *Obreiros da vida eterna*[28], um interessante diálogo entre o Espírito Gotuzo com o próprio André Luiz.

Gotuzo desencarnara como médico de boa condição financeira, deixando esposa e filhos jovens. A esposa se casa com seu primo.

---

27. Colônia Espiritual Nosso Lar, cidade espiritual localizada em região do mundo espiritual comparada ao purgatório dos católicos.
28. *Obreiros da Vida Eterna*. Psicografia de Francisco Cândido Xavier pelo Espírito André Luiz. Rio de Janeiro: FEB Editora, 2005.

Vejamos o texto a seguir:
Diz Gotuzo a André Luiz:

> – *Trago, ainda, a mente e o coração presos ao ninho doméstico que perdi com o corpo carnal. Readaptei-me ao trabalho e, por isso, venho sendo aproveitado, de algum modo, em atividades úteis; entretanto, ainda não me habituei com a morte e sofro naturalmente os resultados dessa desarmonia. Encontro-me num curso adiantado de preparação interior, no qual progrido lentamente.*
> *(...) – Quase dez anos são decorridos e minha mágoa continua tão viva, como na primeira hora.*
> *– Gotuzo, escute-me – disse, por fim –, não guarde semelhantes algemas de sombra no coração.*
> *(...) – Por que razão condenar a companheira de luta? E se fôssemos nós os viúvos?(...)*

Nesse caso, o Espírito Gotuzo não se conforma com o novo casamento de sua esposa, mas a orientação do amigo espiritual é para a continuidade das experiências que cada um deve viver, alertando que não somos donos de ninguém.

É importante destacar que a morte não nos modifica, e estaremos praticamente nas mesmas condições de quando encarnados. A morte não é uma aduana mágica, que nos modifica ao ultrapassá-la.

Se temos de nos adaptar sem nossos queridos, eles, mais ainda, têm o trabalho de se adaptar às novas condições, lembrando que lutamos com a saudade da ausência e nossos entes ainda têm a adaptação ao novo ambiente.

O livro *Flores de Maria*[29] conta-nos a experiência da jovem Rosângela, que desencarna após um longo período de enfermidade grave.

Acompanhando suas experiências no Educandário Flores de Maria, nos surpreendemos com o seu relato. Ela se sente bem, já não está mais enferma, mas sente culpa por estar bem, acredita que seus pais, avós e irmãos estejam tristes em razão do seu desencarne.

Isso nos remete às muitas vezes que reforçamos aos participantes de nosso Grupo de Apoio que devemos estar tranquilos quanto ao carinho que nossos familiares, já há mais tempo no mundo espiritual, devotam aos recém-chegados. Muito embora cada um colha o que planta, lembramos que sempre contamos com a misericórdia e o amor de Deus para com seus filhos.

É comum destacar que quando nós reencarnamos sempre encontramos mãos amigas que nos recebem; com certeza, no mundo espiritual não será diferente.

Muitos são os relatos em livros sérios que confirmam essa atenção e acolhimento que normalmente encontramos ao aportar na vida espiritual.

É muito bom lembrarmos que quanto mais nos cuidamos aqui, menos problemas acarretaremos àqueles que nos deixaram, mesmo que temporariamente, facilitando o momento de transição.

---

29. *Flores de Maria*. Psicografia de Vera Lúcia Marinzeck de Carvalho, pelo Espírito Rosângela. São Paulo: Petit, 2012.

"P: Como as dores inconsoláveis dos encarnados afetam os Espíritos que partiram?
R: O espírito é sensível à lembrança e aos lamentos daqueles que amou, mas uma dor incessante e irracional o afeta dolorosamente, porque vê nessa dor excessiva uma falta de fé no futuro e confiança em Deus e um obstáculo ao adiantamento dos que o choram e, talvez, reencontro entre todos."

Questão 936 de O Livro dos Espíritos.

Na hora do sono podemos nos reencontrar

O sono é a porta que Deus lhes abriu para entrarem em contato com seus amigos do céu.[30]

Muitos relatos de "encontros" na hora do sono representam reconforto para aquela saudade que teima em doer.

Esclarecem-nos os espíritos amigos que, ao dormir, poderemos nos encontrar com aqueles que desencarnaram. Ao dormir, a vida não fica interrompida; ao contrário, ela é muito mais ativa, deixamos o corpo dormindo, recompondo-se e saímos em espírito em busca dos nossos afins. Contam-nos os benfeitores espirituais que o que nos distingue dos desencarnados é um fio prateado, que nos liga ao corpo físico.

---

30. *O Livro dos Espíritos*. Allan Kardec. São Paulo: Petit, 2012. Trecho da resposta à pergunta 402.

Enquanto o corpo físico descansa, a alma pode desprender-se parcialmente e vai ao encontro de seus afins; às vezes, os desencarnados promovem esse encontro, vindo até nós.

É um alento para os corações saudosos, que com esses encontros se beneficiam, mas para isso acontecer com facilidade há de se conquistar esse "presente", ou seja, ambos os lados da vida têm de se preparar.

Os benfeitores espirituais nos esclarecem que os desencarnados, geralmente, precisam de um período de adaptação no mundo espiritual e só depois têm autorização para esses encontros.

É importante lembrarmos que a morte não modifica aquele que parte, que mantém os mesmos sentimentos de amor, e a saudade não é diferente daquela que sentimos em relação a eles.

A mesma preparação deverá também ser feita por nós, encarnados, pois os sentimentos superlativos de desespero e tristeza serão um entrave para esses encontros, que devem ser pautados pelo equilíbrio, sob pena de maiores sofrimentos para os dois lados da vida.

Quando os benfeitores espirituais percebem que há um equilíbrio emocional entre as partes, promovem esse encontro.

É assim que, ao retornar do sono físico, trazemos impressas na memória as vivências dos encontros no mundo espiritual – senão claras, pelo menos as sensações felizes mantêm-se ao acordarmos.

Diante dessas ponderações, lembramos que não devemos ficar evocando nossos queridos, pois isso poderá atrapalhá-los na adaptação à sua nova situação. Encarnados e desencarnados precisam de um tempo para que as emoções se acomodem num patamar de equilíbrio.

Preparemo-nos e prossigamos confiantes, aguardando que, no tempo certo, a alegria do reencontro acontecerá.

Enlutado = em luta

*A dor é inevitável.
O sofrimento é opcional!*[31]

Carlos Drummond de Andrade

Ninguém discute que quem passa pela experiência do desencarne de um ente querido vê abaladas suas estruturas e cada um se ressente de uma maneira.

No geral, observando-se os períodos próprios do luto, como vimos em páginas anteriores (negação/isolamento, raiva, barganha, depressão e aceitação), cada pessoa, é bom que se diga, comporta-se de forma diferente, algumas pulando fases, estacionando em algumas, mas sempre buscando superar e sobreviver.

É pensando nas pessoas que se "movimentam", que buscam ajuda, seja por meio de uma leitura esclarecedora, tratamentos físicos, psicológicos e espirituais, que entendemos a palavra ENLUTADO, ou seja, aquele que está

---

31. Final do poema "Definitivo!", de Carlos Drummond de Andrade.

em luta – luta consigo mesmo, luta com seus sentimentos, suas dores, procurando alargar seus horizontes, não atrapalhando aquele que partiu, prosseguindo...

O poeta Carlos Drummond de Andrade[32] foi muito feliz e verdadeiro ao afirmar que "a dor é inevitável", e no caso da "perda" de entes queridos é algo que todos entendem, mas ele vai além, orientando-nos: "o sofrimento é opcional", eis o desafio a vencer!

Se você tem um ente querido que partiu para o mundo espiritual, viva em luta, seja feliz e faça seus queridos felizes. Você merece, e eles também.

---

32. Carlos Drummond de Andrade (1902-1987) foi um poeta, contista e cronista brasileiro, considerado por muitos o mais influente poeta brasileiro do século.

"Ninguém morre.
Não reclames da Terra
Os seres que partiram...
Olha a planta que volta
Na semente a morrer.
Chora, de vez que o pranto
Purifica a visão.
No entanto, continua
Agindo para o bem.
Lágrima sem revolta
É orvalho da esperança.
A morte é a própria vida
Numa nova edição."

*Espírito Emmanuel,
psicografia de Francisco C. Xavier.*

"A alegria de saber que você existe faz-me suportar a tristeza de sua ausência."

Anônimo

Quando a criança é a enlutada

Desde a infância o ser humano não é treinado para perder, mas para ter, acumular.

Os pais protegem os filhos das frustrações, mas nós, enquanto pais, deveríamos entender que nesta escola da vida perder é essencial para compreender que nada é permanente.

Ao falarmos de "perda" de um ente querido, a elaboração do assunto fica bem mais complicada quando o enlutado é uma criança.

Se a criança "perde" um, ou excepcionalmente, os dois pais, tal situação aponta para sentimentos de profunda ameaça em sua sobrevivência física e emocional.

Tal situação se agrava pelo fato de que a criança, além de "perder" um dos genitores, perde também a situação familiar anterior, pois a família necessita reorganizar-se após a ausência de um de seus membros. Além disso, o genitor sobrevivente ou responsável, em razão do vínculo com o falecido, está também muito mobilizado com a morte, o que acarreta uma dupla perda para a criança e uma sensação de maior desamparo.

Os sintomas mais comuns que a criança apresenta são tristeza, choro, retraimento, inibição psicomotora, agressividade, alteração de apetite e do sono.

A criança precisa participar do luto familiar e expressar seus sentimentos; a família deve fornecer informações para a criança sobre o que aconteceu e dar-lhe oportunidades de fazer perguntas, tomando-se o cuidado de se dar respostas adequadas à idade da criança.

Muitas vezes a criança que perde o seu genitor cria a fantasia de identificação com ele, ou seja, de ocupar o lugar do genitor morto, principalmente se é do mesmo sexo que o genitor falecido, ou seja, fantasiam a reposição da figura perdida, o que propicia em geral o impedimento da elaboração do luto.

As fantasias refletem o processo de elaboração do luto da criança em decorrência da morte de um ou de ambos os genitores, e conhecê-las possibilita a compreensão de seus sentimentos, comportamentos e sintomas.

A partir da apreensão de suas fantasias e de seu processo de enlutamento é possível auxiliá-la a compreender o que vivencia, contribuindo para seu processo de elaboração da "perda".

Essa compreensão parece-nos importante tanto para o psicoterapeuta que atende crianças e sua família, como para os demais profissionais que lidam com a criança e cuidadores.

Encontrando um ambiente mais preparado para recebê-la, a criança pode sentir-se acolhida, compreendida e mais segura em um momento de tanta insegurança e desamparo.

Nunca esquecer que a criança enlutada tem uma família e esta deve também estar se cuidando, ou seja, também a família deve estar em processo de elaboração do luto, já que, por óbvio, a criança está inserida em um sistema familiar que vive um momento de crise e desorganização.

O olhar da família que passa pelo enfrentamento do luto deve ser os do acolhimento e de toda a atenção possível, aliando-se o atendimento psicológico à religiosidade, que poderão ser favoráveis à melhor elaboração do luto.

É importante conscientizar a família, especialmente o cuidador da criança, que depende dela, da família, elaborar bem o luto, já que a criança está inserida num sistema familiar que vive momento de crise e desorganização. Portanto, trabalhar somente com a criança, especialmente em um primeiro momento, não parece ser tão eficiente quanto realizar intervenções primeiro na família.

SINAIS DE QUE A CRIANÇA NÃO ASSIMILOU A "PERDA":

Os especialistas destacam sintomas aos quais devemos ficar atentos em relação à criança que "perdeu" um ente querido:

- → ela tenta viver como se nada tivesse acontecido;
- → fica agressiva;
- → dorme mal ou não dorme;

→ apresenta diminuição da atenção;
→ fica isolada, distraída, desorganizada ou hiperativa;
→ mostra baixa concentração e desenvolvimento na escola.

Diante desses sinais, deve-se entender que os comportamentos revelam a expressão de sua dor.

Deve-se ficar atento se a criança não quiser comer, pois se ela viu o avô morrer velhinho, pode querer não crescer mais, pensando que poderá morrer também. Caso o sintoma persista, a ajuda de um profissional é indispensável.

Para nós, espíritas, ou simpatizantes, devemos procurar e indicar a casa espírita, pois, aliado ao tratamento profissional, pode-se contar com a ajuda da orientação espiritual, os passes magnéticos,[33] que contribuem e muito para a melhora.

Faixa etária e entendimento

A Academia Americana de Pediatria preparou um guia sobre a percepção da morte em diferentes faixas etárias:

Até 2 anos

A criança percebe a morte como separação ou abandono. Ela pode reclamar os cuidados da pessoa que se foi

---

33. Passes magnéticos ministrado por um médium, sempre na proteção da Casa Espírita. O médium serve de condutor das energias benéficas transmitidas pelos espíritos. Assunto muito extenso que merece um estudo mais aprofundado pelo interessado.

ou se sentir desamparada, mas não terá o real entendimento do que aconteceu.

De 2 anos a 6 anos

A percepção é de um fato reversível ou temporário. A criança tende a achar que a pessoa que morreu foi castigada.

De 6 anos a 11 anos

Começa a ser criada a percepção de que a morte é irreversível. Ainda assim é muito difícil para a criança lidar com a ideia de que a pessoa amada não voltará mais.

De 11 anos ou mais

A criança já vê a morte como universal, irreversível e inevitável e toma consciência de que ela própria um dia vai morrer.

No livro *Não deixe a morte arruinar a sua vida*,[34] a norte-americana Jill Brooke informa que muitos líderes vencedores, revolucionários e inovadores tiveram em comum o fato de enfrentar a morte de um ou dos dois pais na infância, de conseguir superá-la e de não deixar essa perda os paralisarem ante a vida.

Segundo ainda Jill, para muitos o evento morte foi uma alavanca que os impulsionou às grandes conquistas. Exemplos: Alexandre, o Grande (356-323 a.C.), o ex-Beatle Paul McCartney, Napoleão Bonaparte, Eva Perón.

---

34. Obra publicada sob o título *Don't let death ruin your life*, ainda inédita no Brasil. Sua autora, Jill Brooke, é escritora e jornalista, com artigos publicados no *The New York Times*, entre outros veículos. (N.E.)

Pesquisadores da Universidade de Colúmbia sugerem que as crianças que passaram pelo trauma da morte de parentes próximos podem ser classificadas em dois grupos:

1) **Vergam-se ao peso da dor.** Elas se entregam. Suas frágeis estruturas emocionais são destruídas pela fatalidade e elas nunca se tornam adultos normais.
2) **Outras se imunizam para as dificuldades da vida**, tornando-se mais equipadas para perseguir objetivos extraordinários, para o bem ou para o mal.

Brooke aponta ainda um terceiro grupo, citando como exemplos Adolf Hitler, Josef Stalin e Slobodan Milosevic, que tiveram pais suicidas, foram órfãos e se deixaram consumir pela amargura do luto não elaborado, tornando-se frios e indiferentes ao sofrimento dos outros.

Como sempre, temos de levar em conta as vidas sucessivas e principalmente a condição evolutiva do espírito.

A escritora norte-americana ainda apresenta o exemplo do pai de Paul McCartney que, na tentativa de aliviar seu sofrimento ante a perda da mãe, encaminha-o à música, presenteando-o com um violão. Mais tarde pudemos desfrutar da beleza da famosa canção "Let it Be",[35] em que a mãe é personagem sempre presente, trazendo-lhe proteção e sabedoria.

---

35. Em tradução livre, "Deixe estar". Canção lançada em 1970, no álbum de mesmo nome – o último da carreira da banda britânica The Beatles. (N.E.)

Já no caso de outro Beatle, John Lennon, que também foi órfão de mãe, observamos algumas de suas letras chamuscadas pela raiva e revolta, pelo isolamento.

É claro que não se pode generalizar, mas é importante analisar cada caso e, baseados nos ensinos espíritas, levar sempre em conta a aceitação e a condição evolutiva de cada criatura e seu momento emocional.

Falando de morte para as crianças

Faltam-nos palavras para falar de morte com as crianças!

Essa situação seria mais fácil se não negássemos a existência da morte e se esse fosse um assunto discutível em família, não em tom sussurrante, solene, como algo sagrado ou proibido.

A família pode tentar facilitar essa vivência para os seus membros contando sempre a verdade para a criança.

A elaboração do luto pode ser uma oportunidade de crescimento e de desenvolvimento dos recursos de cada indivíduo na família, e a criança não pode ser esquecida.

Quem conseguir melhorar a sensação de sofrimento tende a ter um ganho emocional importante.

Para essa conversa precisamos também levar em conta a faixa etária, pois a situação é diferente quando falamos com uma criança de dois ou de dez anos.

Esclarecem os profissionais da área que a partir dos nove anos a criança já entende com mais propriedade, mas sempre devemos falar sobre morte e morrer, embora a compreensão da criança dependerá do amadurecimento próprio da idade e da ligação que mantinha com a pessoa falecida.

Famílias de crianças que convivem com doença grave em casa devem aproveitar o momento para explicar sobre morte e morrer para que elas tenham noção da seriedade da doença e a proximidade da morte.

É importante que a criança viva essa experiência, sem expô-la demais a situações exageradas que levem a muito sofrimento.

Foi elaborada uma pesquisa com crianças de rua e com aquelas que vivem em lares intactos, com pai e mãe, em que se queria saber delas em qual época elas "poderiam" morrer.

As crianças de rua responderam que poderiam morrer "hoje mesmo"; já os grupos das outras crianças afirmaram que morreriam quando ficassem velhinhas ou doentes!

É comum a criança ver em desenhos animados e mesmo em suas brincadeiras uma "matar" a outra e continuar a brincar e a se divertir! Muitas cortam o rabinho da lagartixa, matam formigas, arrancam folhas de árvores e é absolutamente natural, para elas, nada muda!

Devemos aproveitar essas situações para mostrar-lhes que machuca, que a plantinha e o bichinho estão sofrendo, que eles, como tudo o que tem vida, têm um período de nascer, crescer e morrer e que não devemos interferir.

Quando falarmos de morte, devemos focar três aspectos:

a) A morte é universal, ou seja, todos morrem.
b) Tem uma causa e ela é variável, como doença, velhice, acidente, etc.
c) É definitiva, não tem volta, ou seja, para esta encarnação; assim, ela não é mágica, o morto não vai "desmorrer".

É importante destacar que, para explicar à criança sobre morte, **devemos nos ater às perguntas delas**, não esticar o assunto, não ficar filosofando.

As perguntas mais comuns versarão sobre estes temas:

→ A pessoa pode "desmorrer"?;
→ Para onde foi o corpo morto?;
→ Ela ficará sem ar? (quando a criança vê tapar o caixão ou vê enterrar).

É importante esclarecer a criança que a pessoa não sentirá mais nada, pois é seu corpo físico que morreu, e consolá-la, explicando que a pessoa continua em outra dimensão, em outro lugar.

Também devemos aproveitar para falar sobre morte à criança quando surge um filme, por exemplo. É importante mostrar que as pessoas estão sofrendo, que choram, que querem ficar um pouco sozinhas – enfim, destacar aspectos importantes e, melhor, que estaremos protegidos por uma situação, que o filme enseja.

DICAS PARA AJUDAR AS CRIANÇAS QUE "PERDEM" UM ENTE QUERIDO

As explicações precisam ser bem elaboradas, claras. O Espiritismo esclarece muito bem sobre morte e morrer, consola e dá esperança. No final do livro, damos uma lista de títulos os quais podem ser consultados. A tentativa de poupar a criança do sofrimento pode fazer com que ela não aprenda a lidar com as perdas que a vida lhe apresentará.

Se precisar, procure ajuda de psicólogos ou uma casa espírita, que, além de esclarecê-lo, o auxiliará nesse momento, dando-lhe consolo e esperança.

Voltar logo ao cotidiano da família é mais salutar. O melhor é não sair da casa em que viviam, sendo preferível que alguém venha cuidar dela na mesma casa, assim a ajudamos a não ter outros traumas.

É importante, obviamente, que cada faixa etária precisa ser observada, porque não são todas que acreditam que uma pessoa morreu e "virou uma estrela". Pode ser poético, mas essa justificativa que se ouve muito pode ser inócua para as crianças de hoje.

Outro cuidado também consiste em não dizer que a pessoa falecida dormiu, pois a criança pode associar sono à morte e não querer dormir mais.

COMO NOS COMPORTAR DIANTE DA CRIANÇA APÓS A "PERDA"?

Normalmente, quando a criança passa pelo evento morte os adultos ao seu redor também estão passando pela dor do luto e muitas vezes a criança vê os pais chorando. Eles devem falar ao filho:

– Eu estou chorando, estou triste, é assim mesmo, me dê um tempo.

Mostrar sua dor e o processo do luto e também respeitar a dor da criança.

É importante que a mostra desse pesar não seja tão intensa, que leve a criança a pensar que a situação está fora de controle.

Se ela frequenta a escola e as pessoas têm notícia da morte de alguém muito próximo à criança, ela acabará por ser apontada pelos colegas. O ideal é que a família procure o educador e solicite que ele trabalhe com a classe o assunto morte e explique o que o amigo está vivendo, pois ela não gosta de ser diferente por este motivo.

O luto, de maneira geral, precisa ser conversado, e a família deve conversar muito até esgotar o assunto.

Os profissionais que lidam com o evento morte ainda alertam que a família e o educador que convivem com a criança que teve "perda" não devem relevar tudo o que ela faz, alegando que ela é uma "coitadinha".

Cuidado ao relacionar morte e Deus para as crianças

Deve-se tomar cuidado nas explicações dadas às crianças, principalmente sobre morte e Deus. O maior medo da criança que perde os pais é o abandono.

Para algumas crianças, se é dito que a mãe foi para o céu morar com Deus, por exemplo, deve-se deixar claro que ela foi para o mundo espiritual, não voltará, pois na imaginação da criança ela terá a ideia de que poderá ir até "a Casa de Deus" para buscar a mãe, que acabou de morrer, por exemplo.

Se falar que a pessoa que desencarnou foi morar com Deus, fez uma viagem, reforçará o sentimento de abandono. Ela pode pensar "meu avô foi embora e nem se despediu" e, pior do que isso, a criança poderá tomar Deus como alguém muito mau, que tirou dela a pessoa de que ela gostava tanto!

O ideal é explicar que todos nós, um dia, voltaremos ao mundo espiritual, onde já vivem amigos e pessoas queridas, cuidando dos desencarnados que estão indo agora, principalmente o avô. Que um dia todos se reunirão lá. Explicar ainda que agora ela tem de viver neste mundo, porque aqui estão muitas pessoas queridas e amigas.

O QUE FAZER QUANDO MORRE UM ANIMAL DE ESTIMAÇÃO?

Em entrevista, a psicóloga Maria Helena B. Franco afirma que devemos usar as palavras morte e morrer, explicando desde cedo para as crianças, por exemplo, que seu peixinho morreu e que ele não volta mais.

Em situação de perda de um bichinho querido para a criança, os pais, visando a poupá-las da dor, quase sempre correm e substituem o bicho por outro.

Com este gesto passamos à criança a ideia de que as pessoas também podem ser descartáveis, o que dá margem para a criança pensar que quando ela morrer, por exemplo, o pai vai arranjar outro filho para seu lugar.

Jamais dizer:

– Ah! Era só um peixinho!

Não desmereça o significado, posto que do ponto de vista afetivo, para crianças menores, não há diferença entre o animal e o ser humano.

Há casos em que as pessoas compram outro coelhinho, dão o mesmo nome ao novo bichinho e esperam que a criança acredite que é o mesmo! É claro que as crianças percebem a mentira do adulto.

Muita atenção também para que ela não assista, se for o caso, os pais jogando o passarinho no lixo ou o peixinho no vaso sanitário; devemos ser claros e respeitosos com as crianças.

A morte é uma verdade dura para todos, principalmente para a criança.

É um acontecimento que ela deve se permitir chorar, ficar triste, é preciso dar permissão à criança para que ela viva seu luto e volte a viver bem depois.

"Se quiseres poder suportar a vida,
fica pronto para aceitar a morte."

Sigmund Freud

Crianças:
ir ou não ao velório?

Este é um momento muito delicado. A maioria dos pais prefere poupar a criança dessa vivência.

Como sempre, é importante explicar com delicadeza esse momento à criança e perguntar se ela deseja ir ao enterro, tomando o cuidado de avisá-la que, no local, haverá um caixão e gente chorando.

Explicar que quem morre é o corpo, que ele será colocado em uma caixa especial e mais tarde será enterrado num lugar. Explicar que, se ela quiser, poderá visitar, mas não é desconfortável porque quem morre não sente mais nada e não tem medo.

É importante encorajá-los a se despedir, indo ao velório, mas sem forçar.

Para o psiquismo da criança, e observamos que até dos adultos, esse momento é muito importante, porque precisamos fechar um ciclo, precisamos encarar esse momento para que não fique uma lacuna e tenhamos a impressão de que nossos queridos poderão voltar a qualquer momento, que eles não morreram.

Jamais obrigar a criança a ir ao enterro ou a ficar até o fim, e mesmo beijar o corpo, isso pode acarretar traumas desnecessários.

Nós, espíritas, que acreditamos na vida além-túmulo, podemos e devemos transmitir esses ensinamentos às crianças, esclarecendo que há vida após a vida, pois isso esclarece, acalma e consola.

As crianças entendem melhor do que os adultos imaginam.

"Que tudo cujas perdas trouxeram lágrimas, sejam confortados."

Autor desconhecido

Saudade: o que fazer com ela?

Recorda por fim que, dominados por imensa saudade, recolhidos e atemorizados, os discípulos reunidos em Jerusalém receberam a visita do inesquecível Amigo (Jesus), que os saudou jubiloso, retornando da morte e felicitando a todos, através dos milênios, com o legado da vitória da vida sobre a desencarnação, como hoje atestam os que venceram o túmulo, retornando, felizes, aos corações amados que se demoram na carne, a repetir "paz seja convosco", qual hino de consolação imortal, que nada consome.[36]

Quando Jesus esteve entre nós, avisou aos seus discípulos que eles se escandalizariam pelo que iria acontecer com Ele. Celebraram a Páscoa e todos afirmaram que seguiriam o Mestre até o fim. Entretanto, quando Jesus foi preso, todos fugiram. Seus amigos o abandonaram.

---

36. Trecho da mensagem avulsa "Ante a desencarnação", de Joanna de Ángelis, psicografia de Divaldo Pereira Franco.

Negaram-Lhe solidariedade e compreensão. Viraram-Lhe as costas e, com medo, deixaram que o Mestre fosse preso, julgado e crucificado.

Podemos imaginar os sentimentos que visitaram seus discípulos após a constatação do Gólgota, mas, como sua mensagem não poderia se perder, Jesus volta e fica ainda mais 40 dias com seus discípulos, orientando-os para que espalhassem seus ensinamentos pelas nações da Terra, abençoou-os e retornou para o mundo espiritual.

Renovados, seus discípulos cheios de alegria e coragem voltaram para Jerusalém e daquele dia em diante espalharam-se, cada um foi pregar o Evangelho em regiões diferentes.

Se os discípulos tivessem ficado ligados aos aspectos negativos que envolviam a negação e o abandono, não teríamos hoje suas palavras renovadoras.

Após esse "batismo de fogo", que foi o período de 40 dias em que estiveram novamente com o Mestre, buscaram forças e renovados trabalharam até seus últimos dias.

Da mesma maneira, nós, que passamos pelo desencarne de nossos queridos, temos todas as confirmações de que eles voltaram ao mundo espiritual e que continuam vivos, devemos nos apoiar no exemplo desses discípulos. Mesmo após terem negado e abandonado Jesus, não pararam em lamentações e angústias, mas seguiram as orientações do Mestre:

> *Aquele que crê em mim fará também as obras que eu faço, e fará ainda maiores.*
>
> (João 14,12)

Dei-vos o exemplo, para que, como eu vos fiz, assim façais também vós.

(João 13,15)

Busquemos as forças renovadoras da mensagem e dos exemplos do Cristo para, apoiados no trabalho do bem, prosseguirmos vivendo – e bem, após o desencarne de nossos queridos, fazendo o nosso melhor enquanto estivermos aqui.

"A ESCOLHA É NOSSA

Pensamento é vida.

Vida é criação.

Criação vem do desejo.

Desejo é semente.

Semente plantada no terreno da ação
traz o fruto que lhe corresponde.

Toda semente produz.

A escolha é nossa."

Espírito Emmanuel,
psicografia de Francisco C. Xavier

Dia de Finados

> ... seus pensamentos vos protegem, e a lembrança que tende deles os enche de felicidade...[37]

Quando o calendário humano aponta 2 de novembro, abrimos espaço para as comemorações dos mortos ou Dia de Finados.

Essa homenagem prestada aos mortos existe desde antes de Cristo. Na antiga Gália, no território europeu, os gauleses celebravam a festa dos mortos, não em um cemitério, mas em sua própria casa.

No século 5 d.C., temos notícias de missas de comemoração ao dia dos mortos. Mas foi apenas no século 10 d.C., mais precisamente em 978, que foi instituída a comemoração do dia de Finados pelo abade A. S. Odilão IV, do Mosteiro de Cluny, França. A comemoração foi estendida a todo o mundo católico pelo papa Benedito XV em 1915.

---

37. *O Evangelho Segundo o Espiritismo*. Allan Kardec. São Paulo: Petit, 2013. Capítulo 5 – item 21.

Assim, até hoje as pessoas procuram visitar os cemitérios para prestar homenagens aos seus entes desencarnados.

Daí surge a pergunta: espírita deve ir ao cemitério nesse dia?

É claro que a Doutrina Espírita não condena nada, apenas esclarece, e cada um seguirá o que seu coração determinar.

Uma vez que o espírita tem a convicção de que só o corpo físico foi depositado ali, pois a pessoa com quem convivemos e a quem amamos vive no mundo espiritual, em região característica a cada um, não há portanto, por que fazer essa visita.

Porém, aquele que em vida simpatizava com a ideia da visitação aos cemitérios, dependendo do estágio de seu entendimento, poderá aguardar essa demonstração de carinho por parte de seus familiares. Imaginamos que até se ressentirão, caso não a receba, portanto, a decisão de fazer a visita fica em seu coração.

Não podemos criticar aquele que segue sua fé e com amor e muita sinceridade comparece ao cemitério para as suas homenagens. Caberia, antes, orientá-los que seus queridos não mais lá estão e que essa evocação pode trazer lembranças que nem sempre são agradáveis naquele ambiente.

Em nosso grupo de acolhimento, trabalhamos esse tema no mês de outubro, preparando os participantes para o dia dois de novembro, e muitos afirmam que irão sim ao cemitério. Muito embora saibam que nada resta de seus queridos, vão em homenagem à crença que o finado cultivava.

Existem os que se sentam sobre os túmulos dos seus amados e ali passam o dia para "lhes fazer companhia", como se, na verdade, eles ali estivessem encerrados.

Outros ainda gastam verdadeiras fortunas em flores raras e ornamentações vistosas, acreditando ser o túmulo a morada do seu afeto.

Aprendemos com Jesus que a morte não existe. Assim, nossos mortos não estão mortos, nem dormem. Prosseguem no seu autoaprimoramento, construindo e reformulando o mundo íntimo e continuando a nos amar.

A grande dificuldade desse dia é o vazio da saudade, que aluga as dependências de nosso coração. Nessas horas, a melhor conduta é a lembrança das suas virtudes, dos seus atos bons, dos momentos de alegria juntos vividos.

Com a prece que lhes refrigera a alma e lhes fala dos nossos sentimentos, com o trabalho edificante em prol do próximo, em homenagem a eles, faremos dessas horas momentos menos aflitivos.

Sabemos que o pensamento é energia, portanto, podemos expressar nosso amor por nossos entes queridos que desencarnaram por meio do pensamento, seja no ambiente tranquilo de nosso lar, seja no ambiente de qualquer templo religioso, ou ainda diariamente, no movimento tumultuado das ruas, ou até no cemitério, em qualquer dia do ano.

Portanto, os que partiram nos amando haverão de valorizar e entender a nossa melhor intenção a seu respeito, seja de onde for que nos conectemos a eles. Nossa mensagem de amor chegará pela linguagem instantânea do coração e do pensamento, e que no dia de Finados oremos e vivamos a saudade com amor, não com dor.

"Conta-se que, no século passado, um turista americano foi à cidade do Cairo, no Egito. Seu objetivo era visitar um rabino famoso.

O turista ficou surpreso ao ver que o rabino morava num quarto simples, cheio de livros. As únicas peças de mobília eram uma mesa e um banco.

– Onde estão os seus móveis? – perguntou o turista.

E o rabino bem depressa perguntou também:

– Onde estão os seus?

– Os meus? – disse o turista –, mas eu estou de passagem.

– Eu também – falou o rabino."

Autor desconhecido

Cuide de você aí, porque aqui estou me cuidando

Após o desencarne de alguém, a princípio não conseguimos pensar em mais nada, realizar mais nada; ficamos prostrados, imobilizados. Só o tempo trará o alívio.

Mas quando vivenciamos essa fase do luto, ficamos em função dessa dor, dessa saudade, ou seja, não vivemos!

Há muitos anos, uma querida e jovem amiga vivenciou em poucos dias o desencarne de seu esposo, que a deixou com duas filhinhas muito pequenas.

Foi procurar o tratamento espiritual, e em uma oportunidade um espírito amigo trouxe-lhe notícias de seu amado esposo, que lhe mandava um recado:

Cuide-se, que eu aqui estou me cuidando. Viva sua vida para que eu possa viver a minha.

Palavras libertadoras, palavras fortes!

Esse recado sempre ficou em minha mente, palavras fortes e verdadeiras. Só mais tarde pude entender a amplitude desse recado.

A morte nos convida a fechar um ciclo e a iniciar outro, que não podemos demorar a reiniciar, sob pena de muito sofrimento de nossa parte, dos que estão ao nosso lado e, pior, daqueles que partiram, pois, por muito que queiram, não poderão alçar voos rumo à sua própria evolução.

Se alguém muito querido partiu, aproveite o recado desse nosso amigo:

Cuide-se: viva e deixe viver.

"Dê-se o direito de sofrer,
mas não morra junto."

Eugênio Mussak

Filho é empréstimo

Vossos filhos não são vossos filhos.
São os filhos e as filhas da ânsia da vida por si mesma.
Vêm através de vós, mas não de vós.
E embora vivam convosco, não vos pertencem.

Gibran Khalil Gibran

Quem já não ouviu falar que *"filho é um ser que nos emprestaram para um curso intensivo de como amar"*? Nada mais verdadeiro!

Infelizmente, ainda associamos amor à posse, e conforme o texto de Gibran Khalil Gibran, que transcrevemos anteriormente, filhos não nos pertencem, são um empréstimo de Deus para nós.

Enquanto eles estão conosco, parece lógico e fácil de entender e aceitar, mas falar isso para pais que "perderam" um filho é, ao menos, desafiador.

Às vezes ouvimos dizer:

– Ah, eu crio meus filhos para o mundo!

Mas ao menor afastamento nos sentimos solitários, tristes. A vida vai nos preparando, aos poucos, e "quem tem olhos de ver" vai a cada nova etapa se preparando para esse natural afastamento.

Veja como a vida vai nos ensinando o desprendimento, a entrega.

Quero fazer um parêntesis aqui, pois acredito que é para o coração materno o maior desafio destes treinos de separação, muito embora, verdade seja dita, os pais vêm compartilhando mais a vivência e convivência com os filhos. E gerar um filho cria maior cumplicidade nessa relação, senão, vejamos:

Primeiro a mãe tem seu filhinho no ventre, numa intimidade que dura em média nove meses, e após a chamada "grande dor", ou seja, o parto, acontece nossa grande e tão esperada separação, que nos dará a alegria de ver seu rostinho, se é saudável, com quem se parece e por aí vai...

Depois, normalmente temos de nos separar novamente. Tendo em vista que a maioria das mães tem que trabalhar fora, após o período que a lei nos concede, encaramos novo parto pela frente: temos de nos separar a maior parte do tempo de nossos pequeninos.

E assim vai num constante exercício de separação, de entrega e também de confiança naqueles que desfrutarão da convivência com os "nossos".

E, assim, temos um suceder de momentos que exigem entrega e confiança. A ida para a escola; depois à universidade, quando, às vezes, acontecem mudanças para outras cidades, países; os casamentos ou a opção de morar sozinhos. Temos até a expressão: "Síndrome do ninho vazio". Qual mãe, qual pai não se ressente?

Se parássemos para analisar e aproveitar esses recados que a vida nos dá, talvez sofrêssemos menos. Para os corações que se amam, é muito difícil aceitar a sugestão para que sofram menos.

Esses exercícios de separação são desafiadores, mas temos a internet e os telefonemas que nos acalentam com notícias e imagens, em tempo real. Com o evento morte, porém a separação parece ser definitiva!

Para aqueles que têm fé parece ser mais fácil superar, bem como para aqueles que questionam que não é possível alguém que tanto amam desaparecer no nada e vão à procura de explicações sobre a vida além da vida. São eles que conseguem sobreviver melhor.

Nessa busca, no estudo sério, chegam-nos notícias de nossos queridos por meio da mediunidade ou de explicações de encontros em sonhos.

Nossos filhos não são nossos, é uma frase que aliada à momentânea separação do desencarne nos obriga a experimentar tudo o que a vida nos foi ensinando pouco a pouco.

A ordem natural da vida é de que os pais desencarnem antes, mas quando essa ordem é invertida isso é igual a SOFRIMENTO.

Mas, se Deus é Pai e não nos dá fardo maior que podemos carregar, lembramos: só a espíritos preparados Deus confia essas experiências superlativamente desafiadoras.

E como pais amorosos devemos nos esforçar pelo bem de nossos queridos. Assim, é imperioso fazer a entrega e confiar que espíritos familiares, benfeitores maiores, estarão cuidando de nossos queridos até o momento adequado, quando então iremos nos reencontrar, como aconteceu quando eles chegaram até nós nesta encarnação.

"Procurem um grande amor na vida e cultivem-no. Pois, sem amor, a vida se torna um rio sem nascente, um mar sem ondas, uma história sem aventura!
Mas, nunca esqueçam, em primeiro lugar tenham um caso de amor consigo mesmos."

Augusto Cury

Quando a morte vem antes do nascimento

A experiência das mães que tiveram interrompidas a gravidez por aborto espontâneo, levando à perda de seu tão esperado filho, é sem dúvida uma das maiores frustrações para o coração feminino.

De modo geral, o mesmo espírito voltará, depois de superadas as dificuldades, como afirmam os espíritos superiores a Allan Kardec[38] por meio da resposta alentadora à questão 346 de *O Livro dos Espíritos*: *"esses espíritos escolherão outro corpo!"*

O espírito André Luiz, por meio da psicografia de Francisco Cândido Xavier, apresenta um exemplo no livro *Entre a Terra e o céu*, o caso Júlio, em que este renasce duas vezes na mesma família num curto espaço de tempo, o que não é regra, é bom lembrar.

---

38. Codificador da doutrina espírita.

Allan Kardec questiona o Espírito da Verdade[39], em *O Livro dos Espíritos* com relação a esse período de retorno, e obtém a seguinte resposta:

> Questão 349 – Quando uma encarnação falha para o Espírito, por uma causa qualquer, é suprida imediatamente por outra existência?
> – Nem sempre imediatamente. É preciso ao Espírito o tempo de escolher de novo, a menos que uma reencarnação imediata seja uma determinação anterior.

Explicando o caso Júlio, o orientador espiritual Clarêncio, ainda no livro *Entre a Terra e o céu*, afirma que em vivência passada Júlio aniquilara seu corpo físico pela ingestão de corrosivo.

Salvo, a tempo, sobreviveu à intoxicação, mas perdeu a voz, em razão das úlceras que se lhe abriram na fenda glótica[40]. Ainda aí, não se conformando, burlou a vigilância dos companheiros que o guardavam e atirou-se a um rio, afogando-se. Compromete assim a região da garganta e pulmões de seu perispírito.

Elucida ainda o espírito Clarêncio:

---

39. Trata-se de uma plêiade de Espíritos Superiores que, baixando em toda a Terra, diz: *Os tempos são chegados*. Assunto bastante extenso que merece um estudo mais aprofundado por parte do interessado.

40. Fenda glótica são alterações posturais das pregas vocais que fazem parte das inadaptações miodinâmicas da laringe, mas que também podem ser resultado de uma lesão orgânica. Caracterizadas por um fechamento glótico imperfeito, as fendas podem variar quanto ao tamanho e configuração, de acordo com a qualidade vocal, frequência e intensidade da emissão.

> *Assim sendo, Júlio renascerá com as deficiências de que ainda é portador, embora favorecido pelo material genético que recolherá dos pais, nos limites da lei de herança, para a constituição do novo envoltório.*[41]

Deus une pais, mães e filhos para aprender, resgatar e crescer; por isso ocorre uma atração mútua, para que juntos possam caminhar rumo à felicidade, nossa destinação.

Como diz Hermínio C. Miranda[42], lembrando que são, antes, filhos de Deus e não nossos, Ele nos empresta Seus filhos para que deles cuidemos e os preparemos para uma vida de lutas e superação e, nesse processo, às vezes as lágrimas aparecem.

Também é bom que se destaque que muitas das vezes a reencarnação não acontece porque o espírito, no uso do seu livre-arbítrio, pode recuar diante dessa oportunidade[43]; outras vezes, a criança perece em favor da vida da mãe, causando nela grandes sofrimentos e culpas, que só o estudo trará respostas, minorando as dores.

Assim, se as condições para ser agasalhado no ventre que elegeu para sua mãe forem inviáveis e frustam o nascimento, o espírito engendrará outras formas de chegar ao lar paterno.

---

41. Corpo físico.
42. *Nossos Filhos são Espíritos*. Hermínio C. Miranda. São Paulo: Lachatre, 2012.
43. *O Livro dos Espíritos*. Allan Kardec. São Paulo: Petit, 2012. Questão 348: *O espírito sabe, com antecedência, que o corpo que escolheu não tem probabilidade de vida? Resposta: – Algumas vezes, sabe; mas se o escolher por esse motivo, é porque recua diante da prova.*

É nessas circunstâncias que a adoção faz chegar a pais não biológicos o filho inestimável do coração e assim as lágrimas são enxutas.

De uma forma ou de outra os laços amorosos continuarão íntegros e mais hoje, mais amanhã, teremos novo recomeço para vivência mais feliz.

"Saudade é amar um passado
que ainda não passou,
é recusar um presente
que nos machuca, é não ver
o futuro que nos convida..."

Pablo Neruda,
(trecho do poema "Saudade")

O porquê das mortes prematuras

> *Questão 199 – Por que a vida é muitas vezes interrompida na infância?*
> *– A duração da vida de uma criança pode ser, para o Espírito que nela está encarnado, o complemento de uma existência anterior interrompida antes do tempo. Sua morte é, muitas vezes, também uma provação ou uma expiação para os pais.*[44]

Quando a morte se faz presente nas vossas famílias, levando sem critério os jovens antes dos velhos, dizeis muitas vezes: "Deus não é justo, já que sacrifica aquele que é forte, e com um futuro pela frente, para conservar aqueles que já viveram longos anos cheios de decepções; leva aqueles que são úteis e deixa aqueles que não servem mais

---

[44]. *O Livro dos Espíritos*. Allan Kardec. São Paulo: Petit, 2012. Questão 199.

para nada; parte o coração de uma mãe, privando-a da inocente criatura que fazia toda sua alegria".[45]

Allan Kardec, em *O Livro dos Espíritos* na questão 347 indaga aos espíritos:

> *Que utilidade pode ter para um Espírito sua encarnação num corpo que morre poucos dias após seu nascimento?*

Os espíritos responderam:

> *O ser não tem a consciência inteiramente desenvolvida de sua existência e a importância da morte é para ele quase nula.* **É muitas vezes, como já dissemos, uma prova para os pais.**

Todavia, alguns insistem em dizer que é uma terrível tragédia ver uma vida tão cheia de esperanças ser ceifada prematuramente, mas quando conhecemos o outro lado da história compreendemos que existem muitas questões de ordem particular e livre-arbítrio em ação.

Por outro lado, se a criança passa por problemas muito graves de saúde, padecendo terrivelmente, mesmo assim insistimos em querer vê-la ao nosso lado!

Em *O Evangelho Segundo o Espiritismo*, capítulo 5, item 21, os espíritos superiores nos perguntam: "*Não há egoísmo em desejar que ele permanecesse aí, para sofrer convosco?*

---

45. *O Evangelho Segundo o Espiritismo*. Allan Kardec. São Paulo: Petit, 2013. Capítulo 5 – Item 21, Perdas das pessoas amadas. Mortes prematuras.

Essa dor compreende-se entre aqueles que não têm fé e que veem na morte uma separação eterna..."

Há casos em que a curta duração da vida da criança pode representar para o espírito que a animava *"o complemento de uma existência anterior interrompida antes do tempo (...) sua morte é, muitas vezes, também uma provação ou uma expiação para os pais"*, conforme texto que transcrevemos anteriormente, na resposta à pergunta 199 de O Livro dos Espíritos.

Portanto, apesar de muitas vezes não entendermos nem querermos aceitar, a justiça e a bondade divinas têm respostas sábias àquele que as busca e não se mantém na rebeldia de comportamento. Assim, alguns acontecimentos que nos são difíceis de aceitar não devem ser encarados como punição de Deus, mas como o funcionamento de suas sábias leis.

Buscando a sabedoria de Marquês de Maricá[46]: *"O coração enlutado eclipsa o entendimento e a razão".*

Com o esclarecimento, nosso coração se asserena.

Os livros espíritas têm trazido preciosas respostas. O Espírito André Luiz, ditando ao médium Chico Xavier o livro *Entre a Terra e o céu*, fala-nos sobre o Lar da Bênção, um misto de escola de preparação para a maternidade e abrigo para espíritos que haviam desencarnado na infância.

---

46. Mariano José Pereira da Fonseca – primeiro e único visconde com grandeza e marquês de Maricá, nasceu no Rio de Janeiro em 18 de maio de 1773 e desencarnou na mesma cidade, em 16 de setembro de 1848. Foi um escritor, filósofo e político brasileiro. Foi ministro da Fazenda e conselheiro de Estado e senador do Império do Brasil, de 1826 a 1848.

André Luiz relata que ao se aproximar ouve alguns deles – das crianças – que naquele exato momento recebiam a visita de suas mães, ainda encarnadas, que para lá se deslocavam em desdobramento espiritual[47], por ocasião do sono físico. André Luiz, então, fascinado com o que via, questiona se haveria ali cursos primários de alfabetização, ao que a dirigente daquele educandário responde afirmativamente, pois que se tratava de um verdadeiro estabelecimento de ensino no Além, que abrigava, à época, cerca de dois mil espíritos desencarnados em tenra idade, que lá permaneciam até reunir condições para retornar.

Os benfeitores espirituais nos ensinam que, em geral, os espíritos que desencarnam em fase infantil são imediatamente atendidos pela espiritualidade e, tão logo reúnam condições, retornam para a continuidade de sua evolução.

Diante da dor do desencarne de um pequeno, tenhamos em mente o ensino de O Livro dos Espíritos: "*sua morte é, muitas vezes, também uma provação ou uma expiação para os pais*". Deus nos dá muitas oportunidades para prosseguirmos em busca de nossa evolução; mas, nesse caminho, em razão de nossas opções, ainda muitas vezes pela dor, teremos uma colheita quase sempre regada de lágrimas. Mas tenhamos em mente que, após essa tempestade, o sol da esperança virá.

---

47. Desdobramento espiritual ocorre quando em sono profundo, o espírito projeta-se para fora do corpo, com liberdade para ir onde está os seus maiores interesses.

"Nós não somos seres humanos tendo uma experiência espiritual. Somos seres espirituais tendo uma experiência humana."

Teillhard de Chardin

Mortes coletivas: como o Espiritismo explica essas tragédias?

Vamos num estudo rápido, já que estamos diante de um evento muito complexo que envolve muitas vertentes, lembrando que cada caso é um caso e meditando acerca de como essas tragédias acontecem, fazer uma análise ponto a ponto. Partindo da premissa de que não estamos vivendo nossa primeira encarnação, isso significa que estamos sujeitos às leis de causa e efeito e, como Jesus nos ensinou: "a cada um segundo suas obras". Assim entendemos que ninguém sofre injustamente.

Se assim não fosse, teríamos de admitir que a justiça divina não é perfeita. Felizmente, não é dessa maneira. Nas Obras Básicas[48] codificadas por Allan Kardec encontramos

---

48. São Obras Básicas de Allan Kardec: *O Livro dos Espíritos, O Evangelho Segundo o Espiritismo, O Livro dos Médiuns, O Céu e o Inferno, A Gênesis*. (N.E.)

explicações de que a justiça divina utiliza as pessoas e os espíritos de má índole como instrumentos de resgates; por outro lado, desvia do seu caminho quem não tem esse tipo de débito a quitar.

O mundo tem assistido perplexo ao noticiário de assassinatos em escolas. Infelizmente, em 2011, o Brasil assistiu à chacina no Rio de Janeiro[49] e, na ocasião, assistimos ao depoimento de uma das jovens do colégio que havia mudado de classe havia pouco e "fora poupada"!

Também em Santa Maria, cidade do Rio Grande do Sul, o mundo se comoveu com a morte coletiva de tantos jovens, "vítimas" da imprevidência de promotores de *shows*.[50] Um pouco antes a Espanha também sofrera acidente semelhante, mas em proporção menor.

Foi por isto que Jesus alertou: "é necessário que venham escândalos, mas ai do homem por quem o escândalo venha". (Mateus 18,17)

É importante ressaltar que nenhum espírito reencarna para fazer o mal. Todos vêm com o objetivo de progredir e expiar os seus erros. Os que praticam o mal são espíritos que se desviaram do caminho do bem.

---

49. Em 2011, Wellington Menezes de Oliveira invadiu a Escola Municipal Tasso da Silveira, localizada no bairro de Realengo, na cidade do Rio de Janeiro, onde, em posse de dois revólveres, atirou contra alunos. O crime resultou na morte de doze adolescentes e no posterior suicídio do invasor. (N.E.)

50. Em janeiro de 2013, a Boate Kiss sofreu um incêndio em decorrência do uso de artefato pirotécnico, provocando a morte de mais de duzentas pessoas, muitas delas jovens. (N.E.)

Aquele, portanto, que usa o seu livre-arbítrio pratica um crime responde pelo seu ato e terá de resgatá-lo um dia.

Nunca é demais lembrar que a humanidade está passando por uma fase de transformação, durante a qual o joio será separado do trigo e os espíritos comprometidos com sua baixa moral estarão reencarnando, como últimas oportunidades, neste planeta Terra. Depois, se persistirem no mal, terão outras chances de prosseguir rumo à evolução, mas não mais por aqui, serão levados a encarnar em planetas primitivos.

Diante dessas circunstâncias, é preciso buscar forças, cada um de seu jeito, para transformar o sofrimento em lição bendita e passar pelas situações difíceis da melhor maneira. Também nesses momentos a fé é de grande ajuda.

Cientes disso, devemos buscar orar por esses nossos irmãos que, em um segundo de invigilância, angariam para si um futuro escuro, necessitando muito de misericórdia.

Lembramo-nos do pensamento oriental, que recomenda: "Ame-me quando eu menos merecer, porque é quando mais preciso!"[51]

Assim, devemos orar não apenas por aqueles que resgatam passados complicados e ficam quites com sua consciência, mas, principalmente, para os que hoje plantam sementes que, no futuro, terão colheitas difíceis.

O importante é levarmos em conta que Deus, que nos criou simples e ignorantes, aguarda nossa transformação,

---

51. Provérbio chinês. (N.E.)

mais hoje, mais amanhã; assim o transgressor de hoje será o benfeitor do amanhã.

Aproveitando os versos do compositor Nando Cordel[52], que diz: "é o homem de bem, quem plantar, vai colher, vou lutar, vou crescer, vou chegar lá também".

Estender nossos braços e amparar os necessitados é a missão sublime de todos nós; portanto, vamos orar por todos os envolvidos nesses eventos.

---

52. Música "O homem de bem", de Nando Cordel, nome artístico de Fernando Manoel Correia, nascido em Ipojuca, em 13 de dezembro de 1953. É um cantor, compositor e instrumentista brasileiro.

PRECE DE SANTA MONICA – MÃE DE SANTO AGOSTINHO

Se você me ama, não chore.
Se você conhece o mistério insondável do céu onde me encontro...
Se você pudesse ver e sentir o que eu sinto e vejo nestes horizontes sem fim e nesta luz que tudo alcança e penetra, você jamais choraria por mim.
Estou agora absorvido(a) pelo encanto de Deus, pelas suas expressões de infinita beleza. Em confronto com esta nova vida, as coisas do tempo passado são pequenas e insignificantes.
Conservo ainda todo o meu amor, todo meu afeto por você e uma ternura que jamais lhe pude, em verdade, revelar.
Amamo-nos ternamente em vida, mas tudo era então muito fugaz e limitado.
Pense em mim. Nas suas lutas, pense nesta maravilhosa morada, onde, juntos, viveremos no enlevo mais puro e mais intenso, junto à fonte inesgotável de alegria e do amor.
Se você realmente me ama, não chore mais por mim.
Eu estou com Deus. Eu estou em paz.

"A distância impede que eu te veja, mas não impede que eu te ame."

Luiz Carlos Ijalbert

Devo ou não visitar uma mãe que acabou de "perder" seu filho?

Já me fiz essa pergunta muitas vezes, e sempre achei que deveria "dar um tempo"!

Mudei de ideia quando ouvi as mães em nosso Grupo de Apoio.

As mães sentem-se muito sozinhas e ver e ouvir amigos de seus filhos, por exemplo, traz um conforto muito grande, segundo seus próprios depoimentos.

Também conforta muito um coração enlutado conversar ou mesmo estar perto de alguém que também vive ou viveu esse luto. É como se o enlutado sentisse: "ele me entende!".

Assim, se você conhece uma mãe que "perdeu" um filho, não tenha medo, telefone para ela, dê uma passadinha em sua casa, pois mesmo nesses poucos momentos ela vai se sentir acolhida, observada, como se alguém cuidasse dela.

Abrace-a, num abraço apertado, gostoso, se você fizer um bolo, leve um pedaço, reaviva o momento da amizade sincera, converse sobre filmes, livros que está lendo e, principalmente, se ela quiser, deixe que fale sobre seu filho e chore o quanto quiser.

Sua visita pode representar um momento luminoso, quando tudo se mostra tão triste, tão solitário!

Não passe sermões, apenas ouça.

Não diga "pare de chorar", "isso passará", "você tem de seguir sua vida", apenas ouça, faça-lhe companhia.

Alguém que perdeu um ente querido precisa de atenção, carinho e muito amor, e isso podemos oferecer.

"A felicidade é um bem que se multiplica ao ser dividido."

Maxwell Maltz

O tempo é o melhor remédio, mas esse remédio tem efeitos colaterais!

O tempo é muito lento para os que esperam, muito rápido para os que têm medo, muito longo para os que lamentam, muito curto para os que festejam, mas para os que amam, o tempo é eternidade.

W. Shakespeare

A partida de um ente querido traz muitos desafios. Percorremos caminhos antes não percorridos, batemos em portas nunca antes buscadas, porque queremos entender, queremos parar de sofrer.

Se tivermos a oportunidade de trabalhar a ausência, esse tempo será reduzido.

Devemos aproveitar esse momento para novas conquistas, redundando em uma qualidade de vida melhor.

Com o desencarne, o ponto nevrálgico é saber elaborar o sofrimento que o acompanha, num processo de aprendizado de vida.

A experiência tem mostrado que o luto não rejeitado é importante à saúde emocional; portanto, saber viver o luto é essencial e importantíssimo conhecer bem as suas fases, vivenciá-las para superá-lo inteiramente e voltar à vida e ser feliz. Parece impossível, mas não é.

Ao longo dos dias, percebemos que o tempo é nosso maior aliado. O tempo utilizado no trabalho é eficiente nessa melhora, mas ouvimos, principalmente as mães cujos filhos partiram antes, dizer:

– Eu estou bem, tenho participado de grupos de trabalhos voluntários, mas a saudade...

É, a saudade é inevitável! Vamos rever fotos, lembrar momentos felizes, orar em direção aos nossos queridos – enfim, utilizar todas as ferramentas positivas de que dispomos e não nos deixar abater. Precisamos estar constantemente atentos às recaídas em nosso processo de luto, pois se acreditamos que pelo pensamento nos comunicamos, essas recaídas também afetarão nossos queridos, não os queremos prejudicar.

Quando tomamos um medicamento, quase sempre sentimos os efeitos colaterais, mas eles são menores do que o bem a que ele se destina.

Não devemos descuidar e ter certeza de que o tempo estará a nosso favor se o utilizarmos bem!

Saudade com dor não pode.
Só pode saudade com amor.

A morte é uma sublime professora

> *Portanto, eis que vos digo: não vos preocupeis por vossa vida, pelo que comereis, nem por vosso corpo, pelo que vestireis. A vida não é mais do que o alimento e o corpo não é mais que as vestes? Olhai as aves do céu: não semeiam nem ceifam, nem recolhem nos celeiros e vosso Pai celeste as alimenta. Não valeis vós muito mais que elas?*
>
> Mateus 6,25-26

Ouvi em nosso grupo de ajuda que *"a morte é uma sublime professora, ensina a quem vai e a quem fica"*. Quanta sabedoria!

Quando passamos pela dor da "perda" de um ente querido, nosso mundo íntimo se transforma, nossos valores são modificados e passamos a dar valor às coisas que possuímos, principalmente às pessoas e às relações afetivas.

Entendemos bem que nosso presente e nosso futuro não dependem de grandes celeiros abarrotados nem de polpuda conta bancária, pois, no fim, tudo isso é passageiro!

Nossa paz e nossa alegria interna dependem de outras conquistas, e deixamos de valorar tanto os bens da matéria.

A música "Epitáfio", de Sérgio Britto,[53] é um louvor às coisas que não têm preço e que passam desapercebidas antes de grandes eventos que chacoalham nosso espírito, como o é o evento morte!

Mas, como tudo é equilíbrio, devemos observar bem o que temos valorado em nossa vida, buscando nos preparar para nos despedir dos nossos entes queridos e, mais ainda, para quando formos nós a partir.

---

53. Compositor, músico e cantor, integrante da banda Titãs. (N.E.)

"Cada pessoa que passa em nossa vida passa sozinha, porque cada pessoa é única e nenhuma substitui a outra.
Cada pessoa que passa em nossa vida passa sozinha, mas não vai sozinha nem nos deixará só, porque leva um pouco de nós e deixa um pouco de si.
Há os que levam muito e deixam pouco,
Há os que levam pouco e deixam muito.
Essa é a mais bela responsabilidade da vida e a prova de que não nos encontramos por acaso.
Obrigada por conhecê-los e aprender de forma diferente com cada um de vocês."

Anônimo

Jesus prova a imortalidade

Não morreram, eles vivem...

Para a maioria dos religiosos, é claro e patente que a vida prossegue, que ninguém morre, apenas muda de dimensão.

Antes de estudarmos com Allan Kardec sobre a imortalidade, Jesus já havia aproveitado seu desencarne para nos provar que há vida após esta vida, que não morremos.

Em todos os momentos em que esteve conosco exemplificou-nos e não foi diferente em relação à morte.

Depois de sua morte esteve ainda na terra em seu corpo espiritual, conforme se encontra em Atos: *"Após sua paixão, ele lhes mostrou, com muitas provas, que estava vivo, aparecendo-lhes durante quarenta dias e falando-lhes do Reino de Deus"*. (At 1,3)

Depois de sua crucificação, ele aparece a Maria Madalena e pede que oriente seus discípulos para que partam para a Galileia; em seguida, aparece a dois discípulos na estrada de Emaús e finalmente ao grupo dos apóstolos para lhes dissipar as dúvidas e fortalecer a fé, pois a comunidade estava vacilando em sua fé.

Jesus aparece-lhes e diz:

– *A paz esteja convosco.*

Essa frase é um consolo a todos nós que passamos pela "perda" de um ente querido, pois depois desse momento de afastamento parece que também a paz se afasta de nosso coração.

Ele chega e apazigua, traz esperança. Mas, muito mais que isso, Jesus vem a trabalho, pois seus discípulos após sua morte estavam vacilantes, e o Mestre vem dar-lhes orientações antes *"de voltar ao Pai"* (João 20,17). Ele permanece por cerca de 40 dias, faz várias aparições sem o corpo material, mas, por meio de um corpo periespiritual, fazendo com que Ele se tornasse visível, audível e, a maior parte das vezes, tangível.

Paulo de Tarso, na sua 1 Epístola aos Coríntios (15,40-42), afirma: *"E há corpos celestes e corpos terrestres, mas uma é a glória dos celestes e outra a dos terrestres. Semeia-se o corpo animal e ressuscita o corpo espiritual. Se há corpo animal, há também corpo espiritual".*

Allan Kardec, em sua obra *A Gênese*[54], no capítulo "Os milagres e as predições", dá uma explicação lógica sobre as aparições de Jesus após a sua morte, que evidenciam

---

54. *A Gênese*. Allan Kardec. Rio de Janeiro: FEB Editora, 2007.

que não há nada de miraculoso ou anormal nas aparições do Espírito do Mestre Jesus:

> *É patente, pois, que Jesus se mostrou com o seu corpo perispirítico, o que explica que ele somente tenha sido visto pelos que Ele desejava que O vissem. É fora de dúvida que, se Ele estivesse com seu corpo carnal, todos o veriam da mesma forma, como acontecia antes da crucificação.*

O Espírito Emmanuel, responsável por inúmeras obras mediúnicas de Francisco C. Xavier, analisando a questão da aparição do Espírito de Jesus a Maria Madalena, explicou:[55]

> *Por que razões profundas deixaria o Divino Mestre tantas figuras mais próximas de sua vida para surgir aos olhos de Maria Madalena em primeiro lugar?*
> *Somos naturalmente compelidos a indagar, por que não teria aparecido antes, ao coração abnegado e amoroso que lhe servira de mãe ou aos discípulos amados?*
> *Entretanto, o gesto de Jesus é profundamente simbólico em sua essência divina.*
> *Dentre os vultos da Boa Nova, ninguém fez tanta violência a si mesmo, para seguir o Redentor, como a inesquecível obsidiada de Magdala. Nem Paulo de Tarso faria tanto, mais tarde, porque a consciência do apóstolo dos*

---

55. *Caminho, verdade e vida*. Psicografia de Francisco Cândido Xavier, pelo Espírito Emmanuel. 28. ed. Brasília: FEB, 2009. Capítulo 92.

> gentios era apaixonada pela Lei, mas não pelos vícios. Madalena, porém, conhecera o fundo amargo dos hábitos difíceis de serem extirpados, amoleceu-se ao contato de entidades perversas, que operam a paralisia da alma.

Jesus aproveita todas as oportunidades para nos ensinar e mostrar o reconhecimento pelos esforços que se faça.

A mensagem de Jesus foi sempre de vivência dos seus ensinos e, até com seu desencarne, para provar que a morte não existe, apresenta-se à grande convertida de Magdala, que, segundo relato de Marcos, capítulo 16,[56] acompanhada de Maria, mãe de Tiago e Salomé, vinha trazer perfumes ao seu sepulcro.

Jesus aproveitou para, além de ensinar, presentear aqueles corações entristecidos que o acompanharam na crucificação.

Jesus vem consolá-las, dizendo que não há morte, e sim vida!

O Mestre está a nos dizer que nossos queridos também vivem, vivem em corpo espiritual.

Se você está enlutado, com o coração sem paz, ouça o Mestre:

– A paz esteja convosco!

---

[56]. E, passado o sábado, Maria Madalena e Maria, mãe de Tiago, e Salomé, compraram aromas para irem ungi-lo.

"Não tenha medo de morrer,
porque a morte morreu de medo
ao ver Jesus Cristo nascer."

Jayme Mece

Que insensato és! Esta noite mesmo tua alma será arrebatada!

Na parábola do homem rico, Lucas, 12:13-21 também nos leva a analisar que devemos estar em guarda, não só em relação ao valor que damos aos bens materiais, como às pessoas que estão à nossa volta.

Muitas vezes vivemos anos a fio com pessoas a quem nem sempre damos o real valor, mas que, apenas quando elas se afastam de nós, vem-nos a dimensão exata de quanto a amávamos e do pouco que aproveitamos para dizer-lhes desse amor.

"Que insensato és! Esta noite mesmo tua alma será arrebatada"; alerta-nos Jesus, no texto de Lucas, para que possamos valorizar o que realmente tem valor.

Jesus propõe uma reflexão sobre a avareza material, mas nós podemos e vamos além: avareza em sentido mais amplo, avareza de sentimentos, de emoções.

O homem insensato dessa parábola não vê além de si mesmo e de seus próprios horizontes. Ele credita à sua inteligência e capacidade o sucesso de seus negócios e de sua vida neste mundo.

Distraído com o aqui e o agora, ele não percebe que a vida não termina no cemitério e que está negligenciando a vida espiritual ao colocar os seus bens materiais como prioridade absoluta em sua vida, não medindo sacrifícios para conquistá-la e mantê-la.

Nesse compasso, suas opções lhe trarão um resultado trágico para sua própria consciência. Por isso Jesus o chama de insensato, louco.

Nosso mundo está cheio de insensatos como o descrito nesta parábola. O vírus dessa insensatez pode facilmente nos afetar e certamente é um dos maiores perigos à nossa fé e nossa vida como cristãos neste mundo. No mundo materialista e imediatista em que vivemos, a preocupação para com a fé e a vida eterna é facilmente atropelada pelos valores materiais. Jesus chama a atenção para a importância de se ter cuidado e de se guardar de toda e qualquer avareza.

Vivemos numa sociedade onde o ter significa mais do que o ser, onde as aparências são mais valorizadas do que a essência, onde os bens materiais são mais importantes do que os bens espirituais. Nós facilmente podemos entrar no rol dos loucos da parábola. Por isso a advertência de Jesus: Cuidado! Guardem-se da avareza!

Por outro lado, quando "perdemos" um ente querido, focamo-nos somente na dor provocada por aquele que se foi e esquecemos que muitos permanecem conosco e nos tornamos avarentos em relação ao amor que devemos transmitir-lhes. Muitas mães esquecem-se dos outros filhos, filhos esquecem-se dos outros irmãos, enfim, focamos a perda e não queremos mais doar do amor que temos aos outros, parecendo que somos impedidos de demonstrar amor, a não ser ao que se foi!

Muitos filhos, apesar de entender a fase, podem se questionar se são realmente amados por pais que se focam na dor do filho que se foi.

O alerta está aí, **se "perdemos" um ente querido, tantos outros permanecem conosco**, por isso não devemos dar mais atenção a essa dor, esquecendo-nos de alimentar os relacionamentos que nos restam, a fim de fazermos a felicidade ao nosso redor, o que nos afugentará da avareza espiritual.

"Que insensato és! Esta noite mesmo tua alma será arrebatada", alerta-nos Jesus. Que as dádivas que temos possam ser compartilhadas, e assim possamos dar em abundância amor e atenção às pessoas que nos rodeiam e levar conosco as melhores lembranças, inclusive a paz de consciência de ter feito tudo o que estava ao nosso alcance. E saibamos que o amor continua, mesmo com a ausência daqueles que se foram.

"Viva de maneira que sua presença não seja notada, mas que sua ausência seja sentida."

Padre Mustafa

E você, está pensando na sua morte?

> *Quando um homem viaja para um país distante, arruma sua bagagem de acordo com o uso daquele país; não carrega o que lhe será inútil. Fazei, pois, o mesmo, em relação à vida futura e fazei provisões de tudo o que poderá vos servir lá.*[57]

A morte chega para todos, mas vivemos como se fôssemos imortais. A realidade da morte parece sempre muito distante, mas é bom lembrarmos que, assim que nascemos, já começamos a morrer.

Cedo ou tarde, vamos morrer. E só quem aceita isso está preparado para a vida.

Por todos esses anos de trabalho no grupo de apoio do centro espírita do qual participo, tenho percebido e

---

[57]. *O Evangelho Segundo o Espiritismo*. Allan Kardec. São Paulo: Petit, 2013. Capítulo 16 – Não se pode servir a Deus e a Mamon.

constatado que a grande maioria das pessoas sempre liga a morte à tristeza, desgosto, tragédia, mesmo sabendo que a morte é a única certeza que temos.

Você já percebeu que, sempre que o noticiário nos mostra as tragédias do mundo, acreditamos que jamais nada semelhante nos atingirá e que o "mal" somente chegará à casa do vizinho?

Mas ninguém foge à morte. E seria importante que, a respeito dela, meditássemos um pouco a cada dia.

O trecho do Evangelho que transcrevemos anteriormente nos ajuda nessa tarefa. Vivemos em busca de tantos bens materiais, porém para onde irremediavelmente iremos não nos serão necessários.

Devemos nos aprovisionar de bens que sejam utilizados nesta e na outra vida, aquilo que a sabedoria popular diz *"tudo o que a traça e a ferrugem não corroem"*, ou seja, o saber e o amor.

Quem não tem medo da vida também não tem medo da morte, pois vivendo bem a vida, consequentemente teremos uma vivência espiritual melhor ainda.

Nas lutas do dia a dia vamos aproveitando para crescer e aproveitando como padre Heitor Sapattim[58] escreveu: "É importante viver aproveitando-se das pequenas mortes que a vida humana apresenta a todo momento", ou seja, que de cada fim de ciclo de nossa vida saibamos sair renovados.

---

58. Padre Heitor Sapattim da Paróquia de São Francisco de Assis, de Araraquara (2012).

Vivamos e aceitemos as mudanças, saibamos conviver tão bem que, quando fizermos "a viagem de volta", muitos sentirão a nossa ausência.

Em nosso grupo de acolhimento ouvimos muito as pessoas dizer: "Ah! Esta semana eu recaí, chorei muito de saudades do(a) meu(minha) querido(a)", e nós dizemos:

– É sinal de que o amor que os unia era muito grande. Imagine se quando você desencarnar ninguém chorar por você, não sentir sua ausência, não será péssimo?

Aproveitemos para lembrar que chorar não é "proibido", o que precisamos evitar é o choro de desespero, porque este será como gotas de ácido nos corações dos entes queridos que partiram.

Como poeticamente o cantor Bob Marley[59] disse: *"Saudade é um sentimento que, quando não cabe no coração, escorre pelos olhos!"*.

Que vivamos de tal modo que quando partirmos muitos chorem de saudade, e nós possamos sorrir por ter a consciência tranquila de termos feito o nosso melhor.

Lembrando as sábias palavras de Mahatma Gandhi:

Viva como se fosse morrer amanhã.
Aprenda como se você fosse viver para sempre.

---

59. Bob Marley (Robert Nesta Marley) nasceu em Nine Mile, Jamaica, em 6 de fevereiro de 1945 e desencarnou em Miami, em 11 de maio de 1981. Era guitarrista, cantor e compositor.

Você possui apenas aquilo
que não perderá com a morte;
tudo o mais é ilusão.

Estamos preparados para deixar este mundo?

O homem só possui como seu aquilo que pode levar deste mundo.[60]

Quando participamos de um velório, mais plenamente entendemos essas palavras. Vivemos uma vida inteira buscando bens materiais e num átimo somos despojados de todos e de tudo o que acumulamos. Conosco irão apenas os bens do cérebro e do coração, somente o de uso do espírito.

Interessante que os eventos nascimento e morte aqui guardam íntima relação, pois o que trazemos, quando nascemos, o que levamos e quando partimos para a vida espiritual são os atributos do espírito, nada de material nos servirá.

---

60. *O Evangelho Segundo o Espiritismo.* Allan Kardec. São Paulo: Petit, 2013. Capítulo 16, item 9 – Não se pode servir a Deus e a Mamon.

Precisamos parar e valorizar o que somos e não o que temos, principalmente valorizando as pessoas que estão ao nosso lado e amealhando tesouros que poderemos levar daqui.

Quanto nos desgastamos na busca do ter – e muitas vezes nessa busca perdemos momentos importantes de convivências que não serão possíveis mais à frente –, enquanto o que vale realmente é o ser: ser boa pessoa, ser bom consigo mesmo, ser bom para com os que estão ao nosso lado.

Ainda há tempo para valorizar as pessoas que estão conosco, crescer enquanto pessoa e desenvolver os atributos do homem de bem.

"Viva cada dia de sua vida como se fosse o último, pois um dia vai ser mesmo..."

Alfred L. Newman

Se fosse um homem de bem, teria morrido

O texto de *O Evangelho Segundo o Espiritismo*[61] suscita à primeira vista algumas dúvidas, senão vejamos:

Aqueles que temem a morte pensarão que os bons serão "punidos" com a morte.

Para quem acredita que a morte é apenas uma mudança de plano, que há vida após esta vida, sabe que se a pessoa foi boa, boa será sua condição do lado de lá e nada deve temer; ao contrário, é um prêmio, uma libertação.

O Espírito Fénelon, autor da mensagem, esclarece-nos que, sendo este mundo de provas e expiações, aqui permanecem por mais tempo aqueles que ainda precisam da "escola", que é o planeta Terra. Assim, Deus dá uma encarnação longa àquele ainda necessitado de evolução,

---

61. *O Evangelho Segundo o Espiritismo*. Allan Kardec. São Paulo: Petit, 2013. Capítulo 5.

sendo que o bom já a consolidou e como recompensa retorna mais rápido à verdadeira vida, a espiritual.

É importante que se destaque que a Doutrina Espírita não faz apologia ao sofrimento ou à morte. Aprendemos aqui e no mundo espiritual que a morte não é uma punição, é, antes, uma libertação, e não devemos procurá-la, mas viver bem e aguardar nosso momento de retorno.

Por outro lado, não podemos esquecer que espíritos missionários aqui reencarnam e permanecem por muitos anos, ensinando-nos com seus exemplos, como nosso querido Chico Xavier, Gandhi, Madre Teresa de Calcutá e tantos anônimos que aproveitam a reencarnação, conforme lemos na questão 107 de *O Livro dos Espíritos*: "*são felizes pelo bem que fazem e pelo mal que impedem*".

Como em todo ensino, devemos ficar atentos para aproveitar as verdades de sua essência.

Experiência de quase morte – EQM

A maior ofensa que podemos fazer à nossa própria consciência é negar a existência de Deus e desertar da fé.

Francisco Cândido Xavier

O termo **experiência de quase morte (EQM)** foi criado pelo dr. Raymond Moody em seu livro *Vida depois da vida*, escrito em 1975 e reeditado em 2005 pela Butterfly Editora.

O livro contém estudos e relatos de pessoas que foram consideradas mortas clinicamente, mas que voltaram para contar o que passaram.

O livro também faz referência a alguns elementos mais frequentes no relato dessas pessoas, como a experiência do túnel de passagem, encontro com familiares e amigos, recapitulação da vida, relutância em voltar para o corpo e transformação da personalidade após o ocorrido.

Em *O Livro dos Espíritos*, quando há mais de 150 anos Kardec, em busca de mais informações sobre a vida após a vida, pergunta ao Espírito da Verdade: "*O corpo ou a alma sente alguma dor no momento da morte?*",[62] a resposta é clara:

> – Não; o corpo sofre muitas vezes mais durante a vida do que no momento da morte: a alma não toma nenhuma parte nisso.

E continua na questão 155: "*Como se opera a separação da alma e do corpo?*".

E obtém a resposta:

> – Quando os laços que a retinham se rompem, ela se desprende.

E ainda, em seguida, na questão 155a:

> – *A separação se opera instantaneamente e por uma transição brusca? Há uma linha de demarcação nitidamente traçada entre a vida e a morte?*
> Resposta: – Não; a alma se desprende gradualmente e não escapa como um pássaro cativo subitamente libertado. Esses dois estados se tocam e se confundem de maneira que o Espírito se desprende pouco a pouco dos laços que o retinham no corpo físico: eles se desatam, não se quebram.

---

62. *O Livro dos Espíritos*. Allan Kardec. São Paulo: Petit, 2012. Segunda Parte, capítulo 3, questão 154.

Com relação aos sentimentos que nos buscam neste momento, temos na questão 961, a resposta:

> – No momento da morte, qual é o sentimento que domina a maioria dos homens? A dúvida, o medo ou a esperança?
> – A dúvida para os descrentes endurecidos, o medo para os culpados, a esperança para os homens de bem.

A comunidade científica também tem se voltado para explicar os relatos vivenciados por essas pessoas – experiências comuns –, descritos nos estudos da psiquiatra suíça radicada nos Estados Unidos, dra. Elisabeth Kübler-Ross,[63] tais como:

→ um sentimento de paz interior;
→ a sensação de flutuar acima do seu corpo físico;
→ a percepção da presença de pessoas à sua volta;
→ visão de 360°;
→ ampliação de vários sentidos;
→ a sensação de viajar através de um túnel intensamente iluminado no fundo (efeito túnel).

Até pouco tempo esse fenômeno era considerado pela ciência um assunto ligado à crendice popular ou religiosidade, mas as pesquisas como a do dr. Raymond Moody e

---

63. Nascida na Suíça em 1926, foi responsável por definir os processos da morte (negação, raiva, negociação, depressão e aceitação). Kübler-Ross morreu em 2004, aos 78 anos, após uma longa trajetória de dedicação ao estudo da morte. (N.E.)

da dra. Elisabeth Kübler-Ross, principalmente após a publicação dos livros *Vida depois da vida* e *Sobre a morte e o morrer*, respectivamente, levaram ao início de uma corrente de pesquisas em todo o mundo sobre o fenômeno, muito embora existam observadores que neguem as explicações científicas e recorram às explicações tradicionais, como a memória genética ou à associação da experiência ao nascimento biológico.

Interessante também os relatos de algumas pessoas que vivenciaram a EQM, de que perceberam a presença do que a maioria descreve como um "ser de luz", embora essa descrição possa variar conforme a cultura, a filosofia ou a religião pessoal.

A psiquiatra suíça dra. Elisabeth Kübler-Ross dá seu depoimento sobre os importantes estudos iniciados pelo dr. Moody, afirmando que assistiu e pesquisou diversos pacientes em estado terminal e teve a oportunidade de constatar que muitos deles passaram por experiência de quase morte. Muitos descreveram a visão de entes queridos desencarnados por perto e deram detalhes sobre esses momentos fora do corpo.

A dra. Elisabeth desenvolveu um projeto de estudo sobre a EQM em cegos, principalmente nos que não tiveram nenhum vislumbre de luz pelo prazo de no mínimo dez anos. Muitos desses pacientes conseguiram ver cenas e descrever com riqueza de detalhes até mesmo como as pessoas estavam vestidas. Além dos pacientes cegos, um fato interessante que observou em outros tipos de deficientes foi que os mutilados sentiam seus membros intactos e conseguiam se locomover, o que no Espiritismo se entende, tendo em vista o corpo espiritual intacto.

A dra. Elisabeth obteve relatos mostrando portais, representados por um campo, uma porta, uma sebe ou um lago, entre as duas dimensões, onde, por vezes, alguns tiveram de decidir se queriam ou não regressar à vida física.

O Espírito André Luiz, nos anos 1940, já ditara a Francisco Cândido Xavier mensagens confirmando esses "portais", o que só anos mais tarde a dra. Elisabeth viria analisar.

Após a **Experiência de Quase Morte** algumas pessoas declararam ter alterado seus pontos de vista em relação ao mundo e às outras pessoas, alegando que passaram a valorizar mais a sua vida e a dos outros, reavaliaram os seus valores e tornaram-se mais serenas e confiantes.

Embora, ainda, a EQM não seja aceita como uma forte evidência da vida após a morte, há um grande número de médicos e pesquisadores no mundo que têm trabalhado muito para que, em um futuro próximo, a ciência possa se transformar em uma grande aliada na compreensão da realidade do espírito.

A EQM é um instrumento de convencimento do enlutado para demonstrar a sobrevivência à morte de seus queridos. Ela tem sido estudada pela classe científica e aceita como um fenômeno que vem ocorrendo em todos os países, com pessoas de diferentes níveis socioeconômicos, culturais e religiosos. Além disso, o fato de não estar ligada a nenhum entendimento religioso facilita a sua pesquisa e aceitação por parte dos mais céticos.

Assim, a EQM e os relatos de recordações das vidas passadas (TRVP), os casos sugestivos de reencarnação e as comunicações espirituais por meio da psicofonia, da psicografia e da transcomunicação instrumental[64] vêm abrir um novo campo de investigação para a comprovação da existência do espírito e da sua imortalidade.

Que veja quem tenha olhos de ver! Que se console quem se permitir!

---

64. É o estudo da comunicação entre vivos e mortos por meio de aparelhos eletrônicos como rádio, televisão, telefone e computador.

"Feliz será e sábio terás sido
se a morte, quando vier,
não te puder tirar senão a vida."

Francisco Quevedo

Luto antecipatório
— doença terminal

> *O sofrimento, sob qualquer forma em que se apresente, é bênção. Para que, no entanto, beneficie aquele que o experimenta, faz-se indispensável ser acompanhado pela resignação, pela humildade, pela valorização da própria dor. Não basta, portanto, sofrer, mas bem sofrer, libertando-se das causas matrizes da aflição.*[65]

A expressão **luto antecipatório**, criada pelo psiquiatra Erich Lindemann[66], define-se por ser um conjunto de processos iniciados e vivenciados pelo paciente e pela família a

---

65. *Nos Bastidores da obsessão*. Saturnino – psicografia de Divaldo P. Franco, pelo Espírito Manoel P. de Miranda. Rio de Janeiro: FEB Editora, 1995.
66. Eric Lindemann – psiquiatra alemão (1900), estudou efeito de eventos traumáticos em familiares que tiveram perda de familiares em *nightclub* consumido por fogo em 1942. Muito ajudou no campo da saúde mental.

partir da progressiva ameaça de perda, isto é, entre o diagnóstico de uma doença e a morte, propriamente.

Existem grupos, principalmente em hospitais, que desenvolvem um trabalho de acompanhamento a pacientes sem possibilidade de cura e seus familiares, já que a notícia de uma morte iminente causa um desequilíbrio tanto no indivíduo quanto na família.

Nesse caso encontramos profissionais, como psicólogos, trabalhando como facilitadores desse processo, ajudando aqueles que estão envolvidos nessa fase a absorver a realidade de uma "perda" iminente.

Durante esse processo, tem-se a oportunidade de finalizar situações, principalmente emocionais, incompletas, por exemplo, mágoas que ficaram, pedidos de perdão não realizados, etc., além de promover maior comunicação entre a família e acolher as violentas emoções e os sentimentos que surgem durante o processo terminal.

Ao compartilhar essa situação e ainda somando-se ao reconhecimento de que todos nós um dia vamos passar por esse momento, essa experiência pode nos ajudar a superar a "perda".

No caso, por exemplo, de um diagnóstico de câncer na infância, é indispensável aproveitar essa ajuda levando-se em conta que essa doença provoca desespero e angústia na família, consequentemente na criança, que pode necessitar de cuidados durante anos, ambas, criança e família, atravessarão várias dificuldades durante o tratamento.

A vivência do luto antecipatório para quem participa de um período intermediário, tanto para quem cuida como para quem está doente, é um evento que, de certa forma, prepara a família para o que será inevitável.

O psicólogo, ao falar sobre a morte com o paciente e sua família, ajuda-os a se organizar internamente para viver esse evento, abrindo um espaço para refletir sobre a vida e a morte e viver os desejos que ainda são realizáveis.

Enfrentando o morrer, finalmente, se estabelece um paralelo entre a resolução do luto nos sobreviventes e no paciente em fase terminal. Esse luto antecipatório sofrido pela família se traduz num processo de desligamento afetivo gradual, que ocorre na relação com o doente; no entanto, a elaboração progressiva desse luto provê crescimento humanitário para todos.

Pode parecer cruel, mas esse período precisa ser aproveitado para que esse desligamento redunde em ganhos para quem fica e para quem volta à vida espiritual, que estará mais consciente de sua realidade.

"A vida não passa de uma oportunidade de encontro, só depois da morte se dá a junção, os corpos apenas têm o abraço, as almas têm o enlace."

Victor Hugo

Cuidados com quem foi cuidador

> *Vinde a mim, todos vós que estais aflitos e sobrecarregados, que eu vos aliviarei. Tomai sobre vós o meu jugo e aprendei comigo que sou brando e humilde de coração e achareis repouso para vossas almas, pois é suave o meu jugo e leve o meu fardo.*[67]

Quando o paciente recebe a notícia de ter um prognóstico reservado, ou seja, uma doença incurável, isso afeta não só ele, como também os seus familiares. Ao longo do tempo, os "cuidadores", familiares que acompanham o dia a dia do doente, vivenciam a progressão inexorável da doença e as limitações que ela impõe.

Após esse período, sobrevém o luto dos sobreviventes!

O período pós-tratamento deixa um grande vazio no ambiente da casa e na vida dos "cuidadores".

---

67. Mateus, capítulo XI, vv. 28 a 30.

Além dos sentimentos normais do evento morte, a vivência da solidão e fim da grande azáfama, que é cuidar de alguém que depende, às vezes, totalmente do cuidador, permanecem grandes desafios a esse coração que fica.

A vida de um cuidador logo após o desencarne é de falta de objetivos, de sensação de que metade de si também morreu, e o cérebro ainda fica no automatismo dos horários de remédios, banhos, alimentação, etc.

Como dar valor ao futuro, se tudo parece não ter mais sentido?

A vida desse indivíduo terá de passar por novas acomodações, as mesmas necessárias quando do primeiro diagnóstico. Essas mudanças foram lentas para recompor o mundo íntimo fragilizado, outro tempo será necessário.

Muitas vezes a atenção médica e psicológica são indispensáveis, e aos poucos vai-se retomando a vida, buscando um grupo de acolhimento, novos trabalhos que preencham a lacuna surgida com a morte do doente.

Como o cuidador usava seu tempo trabalhando, nada melhor do que continuar acolhendo e ajudando outras pessoas, não necessariamente doentes, mas muitos corações necessitam de um que saiba amar.

"Não te afirmes inútil ou sozinho.
Na existência mais triste ou mais singela,
nas mãos todo um tesouro se encastela
Derramando-se em bênçãos no caminho."

Auta de Souza,
psicografia de Francisco C. Xavier

Animais... Último adeus! Quando a morte é do nosso animal de estimação

Os animais têm preenchido um espaço muito grande no coração de seus donos, e a dor da "perda" de um animal pode ser tão profunda quanto a de um ente querido.

Certa vez, fomos procurados por uma frequentadora de nossa Casa que perdera seu cachorrinho e vivia grande dor, afirmando que gostaria de frequentar nosso Grupo de Apoio aos Enlutados. Acolhemos o seu pedido e incentivamos sua vinda, mas na última hora sentiu-se, segundo nos confessou posteriormente, envergonhada de expor sua dor, acreditando que o grupo não a aceitaria por se tratar da morte de um animal.

Ficamos tristes, porque ela seria muito bem acolhida. O que normalmente acontece é que as pessoas desconsideram a sua dor pela perda de um animal de estimação, o que é um grande equívoco.

Esses animaizinhos passam a ser entes queridos da casa, da vida das pessoas que lhes devotam muito amor e consideração e, mais, esses nossos irmãos menores devolvem – e muito – o amor que lhes devotamos.

O certo é que, nas grandes cidades, passamos a dar atenção a esse momento, inclusive existem velórios, crematórios e cemitérios próprios para nossos irmãos menores. Soubemos que nesses locais se disponibilizam espaços para orações e atendimento psicológico aos donos enlutados.

Por outro lado, também temos visto notícias de animais que se ressentem ante a perda de seus filhotes, com comportamentos muito próximos aos dos humanos, como choro e depressão.

Pela internet, assistimos a um vídeo de uma chimpanzé, na África, que fica inconsolável e chora ante a morte de seu filhote. Também tivemos notícia de que num zoológico na Califórnia uma tigresa deu cria a três filhotes que infelizmente não resistiram às complicações da gravidez e morreram logo após o nascimento. A tigresa, depois de se recuperar do parto, sofreu piora em seu estado de saúde, mesmo que fisicamente estivesse bem. Os veterinários diagnosticaram que a perda da cria causou uma profunda depressão na tigresa e acharam que se ela adotasse a cria de outra mãe talvez melhorasse. Mas diante da dificuldade de encontrar bebês tigres, procuraram outros filhotes, e os de porco foram os únicos encontrados. Assim resolveram vestir os filhotinhos com tecidos semelhantes à pele de tigre, e o amor fez o resto. Os filhotes cresceram sob os cuidados da mãe, sua grande predadora natural, que saiu da depressão!

Allan Kardec relata, na Revista Espírita[68], ter recebido por jornal relato de "suicídio" de um cachorro impedido de adentrar a casa de seu dono por suspeita de que estivesse hidrofóbico. Inconformado, acreditando ter sido abandonado, ele prefere morrer!

Também chegou-nos a notícia de que uma elefanta de 45 anos, após a morte de sua companheira, ficou deprimida, o que só foi superado pelo tratamento com músicas de Mozart, Vivaldi, Bach e Schubert no zoológico de Zagreb, na Croácia.

Indiscutivelmente a dor da perda é comum a todos.

Para onde vão nossos amiguinhos?

Em o *Livro dos Espíritos* lemos na questão 597:

---

68. Kardec transcreve na *Revista Espírita*, 1867, sob seu crivo, notícia de jornal: *"O Morning Post contou, há alguns dias, a história estranha de um cão que teria se suicidado. O animal pertencia a um Sr. Home, de Frinsbury, perto de Rochester. Parece que certas circunstâncias o tinham feito supor estar atingido de hidrofobia, e que, consequentemente, se o evitava e era mantido longe da casa tanto quanto possível. Parecia sentir muita tristeza por ser tratado deste modo, e durante alguns dias notou-se que estava com o humor sombrio e tristonho, mas sem mostrar ainda nenhum sintoma de raiva. Quinta-feira foi visto deixar sua casinha e se dirigir para a residência de um amigo íntimo de seu senhor, em Upnor, onde recusaram acolhê-lo, o que lhe arrancou um grito lamentável.*
Depois de ter esperado algum tempo diante da casa, sem ser admitido ao seu interior, decidiu partir, e foi visto ir para o lado do rio, que passa ali perto, descer a margem com passo deliberado, depois, após ter retornado e ter produzido uma espécie de uivo de adeus, entrar no rio, mergulhar sua cabeça sob a água, e, ao cabo de um minuto ou dois, reaparecer sem vida na superfície.
Esse ato de suicídio extraordinário teve, disse-se, por testemunha um grande número de pessoas. O gênero de morte prova claramente que o animal não estava hidrófobo."

> *— Se os animais têm uma inteligência que lhes dá certa liberdade de ação, há neles um princípio independente da matéria?*
> Resposta dos espíritos superiores – *Sim, e que* **sobrevive ao corpo**.

Aqui, como é claro notar, Kardec obtém a resposta dos espíritos superiores, afirmando que o "espírito" do animal sobrevive ao corpo, portanto nossos queridos animais não morrem.

Prossegue Kardec, questionando a espiritualidade:

> Questão 600 – *A alma do animal, sobrevivendo ao corpo, estará, depois da morte, na erraticidade, como a do homem?*
> Resposta dos Espíritos – *É uma espécie de erraticidade, uma vez que não está mais unida ao corpo, mas não é um Espírito errante. O Espírito errante é um ser que pensa e age de acordo com sua livre vontade; o dos animais não tem a mesma faculdade. A consciência de si mesmo é o que constitui o atributo principal do Espírito. O espírito do animal* **é classificado após a morte pelos Espíritos a quem compete essa tarefa e quase imediatamente utilizado; não há tempo de se colocar em relação com outras criaturas.**

Allan Kardec, agora em *O Livro dos Médiuns*, capítulo 25, item 283, questão 36, trata da possibilidade da evocação de animais e pergunta aos espíritos:

> – Pode-se evocar o *Espírito* de um animal?
> Resposta: – *Após a morte do animal, o princípio inteligente que havia nele permanece em um estado latente e é imediatamente utilizado pelos Espíritos encarregados desse cuidado para animar novos seres, nos quais ele continua a obra de sua elaboração. Assim, no mundo dos Espíritos, não há Espíritos errantes de animais, mas somente Espíritos humanos...*

Por essa resposta obtemos outra. Na menção de "espíritos encarregados deste trabalho", sabemos que há espíritos incumbidos de assistir aos animais, portanto, que cuidam deles após a morte, o que nos tranquiliza o coração. Mas não poderia ser de outra maneira, já que Deus é Pai de toda a sua criação.

Os animais têm a sua linguagem, os seus afetos, a sua inteligência, mesmo que rudimentar, com inúmeros atributos. São eles os nossos irmãos menores, como diria Francisco de Assis; portanto, merecem a nossa proteção e amparo.

Mas, apesar do nosso amor pelos animais, é sempre bom que nos lembremos das orientações contidas em *O Livro dos Espíritos* sobre as diferenças espirituais entre o reino hominal e animal, principalmente quando falamos da alma:

> Questão 597a – *Esse princípio é uma alma semelhante à do homem?*
> Resposta – *É também uma alma, se o quiserdes, depende do sentido que se dá a essa palavra;* [ver em *O Livro*

dos Espíritos – Introdução ao Estudo da Doutrina Espírita – Alma, Princípio Vital e Fluido Vital]; *mas é inferior à do homem. Há, entre a alma dos animais e a do homem, tanta distância quanto há entre a alma do homem e Deus.*

Fiquemos, pois, tranquilos, pois nossos irmãozinhos menores estão amparados e seguem rumo à evolução, como nós mesmos.

"A saudade é a memória do coração."

Henrique Maximiliano Coelho Neto

O que faz um grupo de apoio?

O Grupo de Acolhimento ao enlutado propicia à pessoa algo que ajuda muito, além do acolhimento a possibilidade de desabafar.

Pode ocorrer de a família não ter mais forças para continuar ouvindo a queixa que persiste no coração daquele que ficou, e muitas vezes é a própria família que diz: "pare de chorar", ou ainda a própria pessoa não quer ser causa de preocupação para seus familiares, mas não encontra um lugar para chorar. Então no grupo ela terá aquele momento de permissão para chorar, falar, ser ouvida...

Falar, expressar seus sentimentos, pode ajudar muito, mas apenas isso não resolve totalmente a questão. Muitas vezes o próprio Grupo sugere que a pessoa procure a ajuda de um médico, de um psicólogo e um trabalho, pois esses aliados do tempo também poderão ajudar o enlutado a enfrentar a situação.

O importante do Grupo é que aconteça a comunicação, porque a pessoa muitas vezes acaba entrando em um estado de isolamento, e se distanciar não é a maneira mais adequada de solucionar o problema. Negar jamais deve ser o caminho de resolução de uma questão, e evitar falar é fugir.

Um dos aspectos positivos também do Grupo é que há um despertamento em relação àqueles que permaneceram conosco. É comum aquele que nos procura estar fixado única e exclusivamente naquele que partiu, não valorizando quem permanece em seu convívio.

Não querendo ofender a nenhum coração, mas com a intenção apenas de colaborar nesse despertar, e antes que você ouça de um familiar, citamos um provérbio italiano: "Para receber elogios, o melhor meio é morrer".

O Grupo nos ajuda a enfrentar esse momento, e o enfrentamento vem a partir do instante em que tentamos aproveitar a presença de nossos entes queridos enquanto estão conosco, demonstrando carinho e amor para, quando partirem, não sofrermos tanto.

O Grupo nos ajuda a nos dar conta de lembrar os bons momentos vividos com quem partiu e ter certeza de que a perda não é permanente, é apenas transitória, um período de afastamento.

A pessoa deve tentar levar sua vida adiante, porque quando ficamos presos demais à perda, no futuro acabaremos percebendo que não vivemos a própria vida, mas sim a vida do outro.

O que o Grupo procura fazer é apoiar, incentivar e criar condições para que cada enlutado refaça o projeto de uma nova vida.

Segundo os depoimentos ouvidos no Grupo, desabafar sobre o assunto é muito importante. "É como se tivéssemos nosso ente querido perto de nós novamente por alguns instantes."

Dizem os especialistas que a rica expressão emocional do enlutado nas primeiras semanas e meses do luto é saudável e preventiva contra quadros de luto complicado e até contra aqueles que redundam num luto patológico; mas a permanência nessas emoções tristes podem trazer grandes complicações.

Há um ditado chinês que diz: "se dois homens vêm andando por uma estrada carregando um pão e, ao se encontrarem, eles trocam os pães, cada homem vai embora com um pão. Porém, se dois homens vêm andando por uma estrada, cada um carregando uma ideia, e, ao se encontrarem, eles trocam ideias, cada homem vai embora com duas ideias!"

Faça uma força e vença as dificuldades para sair e procurar um grupo de apoio. A experiência tem mostrado que é vital o movimento de sair e buscar apoio.

Estamos torcendo por você!

"Se por um lado a saudade dilacera-nos a alma, fazendo-nos verter lágrimas sentidas, por outro aspecto representa uma prova inequívoca de que os que se foram continuam sendo importantes para nós. Assim, abençoada seja a saudade que aproxima de nosso coração, pela lembrança constante, aqueles que amaremos para sempre, apesar do tempo e do espaço."

Parte de mensagem da redação do "Momento Espírita", órgão de divulgação da Federação Espírita do Estado do Paraná

Grupo de apoio: por que participar?

Nossa experiência de mais de oito anos em grupo de acolhimento[69] dentro de uma casa espírita[70] tem nos provado que a participação nesses grupos de apoio mostra-se muito eficaz. Os participantes chegam com um olhar e saem, no final da reunião, com outro rosto e olhar sereno e confiante.

Cremos que o atendimento pós-morte como forma de "fechamento" de um ciclo faz com que os que ficaram deem outro sentido à vida após a morte de um ente querido.

O mais prazeroso é observar no decorrer das reuniões os participantes mais "antigos" acolhendo e ajudando os "novos", como exemplos vivos, incentivando-os a prosseguir.

É consenso entre os participantes que, sem o grupo, não teriam tido condições de prosseguir.

---

69. Grupo Encontro Amigo – atendimento a enlutados.
70. Núcleo Assistencial Espírita Paz e Amor em Jesus, Tatuapé, São Paulo/SP, <www.pazeamor.org.br>.

Sugestões de grupos de apoio

1) CEOS – Centro Obreiros do Senhor
   Rua Craveiro Lopes, 195 – Rudge Ramos (próximo ao Largo Rudge Ramos), São Bernardo do Campo/SP.
   http://www.ceos.org.br/
   Reuniões às 3ª feiras, às 9 e às 19h30.

2) CENTRO ESPÍRITA "A CAMINHO DA LUZ"
   Av. Sapopemba, 648 – Água Rasa, São Paulo/SP.
   CEP: 03345-000.
   http://centroacaminhodaluz.blogspot.com.br/

3) GRUPO FRATERNO FILHOS ETERNOS
   Com encontros mensais aos domingos às 15h30, no anexo do CENTRO ESPÍRITA PAULO E ESTEVÃO
   Rua das Ubarans, 155 – Amaralina, Salvador/BA.
   grupofraternofilhoseternos.blogspot.com.br

4) ESPAÇO CHICO XAVIER
   Rua Dom Aquino, 431, Campo Grande/MS.
   http://www.fundacaochicoxavier.org.br/
   Reuniões nos 1º e 3ºs sábados do mês, às 9h30.

5) GRUPO DE APOIO E ATENDIMENTO FRATERNO BEZERRA DE MENEZES
   6450 N.W. – 77th Ct 2nd Floor, Miami/Flórida – EUA – 33166.
   http://www.spiritist.com/

6) *Site*: www.perdasentesqueridos.org.br/

Caro leitor(a),
se você tiver conhecimento de
outros grupos de apoio ao enlutado
ou queira implantar um grupo de apoio
em uma instituição da qual faça parte,
favor entrar em contato por meio do
site www.petit.com.br ou pelo
e-mail: petit@petit.com.br

Assim, poderemos atualizar esta lista
nas próximas edições deste livro.

"Mude, mas comece devagar,
porque a direção é mais importante
que a velocidade."

Clarice Lispector

Questionário

Pare uns momentinhos e responda, com sinceridade para si mesmo(a), o questionário a seguir. TALVEZ VOCÊ TENHA SURPRESAS POSITIVAS com as respostas, que poderão ajudá-lo(a) a superar o luto (comente com alguém que o(a) conhece bem e peça-lhe ajuda).

1) Agora que você já tem consciência das fases do luto e que elas são necessárias e naturais, o que você tem feito ou fará para passar por elas com mais serenidade?
   _____
   _____

2) Qual sentimento que mais o(a) faz sofrer?
   Culpa ( )   Raiva ( )   Saudade ( )

3) O que você destacaria como maior mudança depois do evento luto?
   _____
   _____

4) Destaque o positivo e o negativo desse novo momento:

_____
_____

5) Você (ainda) pensa em termos de "adeus" ou "até logo mais"?

_____
_____

6) Você tem se lembrado dos que ficaram? Você tem provado que os ama?

_____
_____

7) Você tem pensado e atendido aqueles que estão à sua volta, entendendo que eles também estão sofrendo e talvez em fases do luto diferentes que a sua?

_____
_____

8) Como você tem lidado com a palavra *resignação*?

_____
_____

9) Como você tem feito preces depois da partida do seu ente querido?

_____
_____

10) Como você tem lidado com estes temas: vida – morte – luto?
_____
_____

11) Em que situações você sente recaídas no seu enfrentamento do luto?
_____
_____

12) Você tem buscado ajuda de um grupo de apoio? Se sim, o que se modificou?
_____
_____

13) Sente-se em condições de vencer sozinho(a) esse período do luto? Por quê?
_____
_____

14) Você já pensou sobre a possibilidade de buscar ajuda de médico/psicólogo? Se não, qual o motivo?
_____
_____

15) Você se sente motivado(a) a prosseguir e a retomar sua vida e as atividades normais?
_____
_____

16) O que mais o(a) fez sofrer após o desencarne do seu ente querido?
_____
_____

17) O que mais o(a) consola?
_____
_____

18) O que as pessoas dizem ou já lhe disseram que mais o(a) machuca?
_____
_____

19) "Coragem para recomeçar sua trajetória após a interrupção do desencarne do seu ente querido." Você se sente com forças? Se não, por quê?
_____
_____

20) O que você tem feito com relação a transformar dor em trabalho?
_____
_____

21) Você doou os pertences do seu(sua) ente querido(a)? Se não, por quê?
_____
_____
_____

22) Você escondeu as fotos de seu(sua) ente querido(a)? Como é lidar com elas?
_____
_____

23) Ao surgir uma conversa sobre desencarne de alguém, você foge, desconversa ou enfrenta o assunto?
_____
_____

24) Em sua fase atual do luto, encontra disposição para se distrair, encontrar-se com amigos, ler, ir ao cinema ou fazer qualquer coisa que lhe serão prazerosas? Se não, você acha que "não deve" ou "não pode"?
_____
_____
_____

25) Quando você chora, suas lágrimas são de revolta, desespero ou apenas de saudade?
_____
_____

26) Você sabia que nossas lágrimas de desespero e revolta podem "machucar" seu(sua) ente querido(a)?
_____
_____
_____

27) Em suas orações, você invoca o seu(sua) ente querido(a) ou utiliza esse recurso para ajudá-lo(a), enviando pensamentos de amor e ou saudade?

28) Você acredita que em algum momento você e seu(sua) querido(a) se reencontrarão? Isso o(a) acalma e conforta?

29) Você sabia que podemos, eventualmente, receber "notícias" por via mediúnica de nossos entes queridos que já se foram?

30) Você consegue se lembrar de fatos felizes/engraçados que o(a) fazem sorrir e asserenar seu coração?

31) Você já sonhou com seu(sua) ente querido(a)? Se sim, acredita que nesse momento você na realidade esteve com ele(ela)?

32) Em época/datas comemorativas como aniversários, Natal, dias dos pais/mães você continua a fazer tudo o que fazia quando seus queridos ainda estavam encarnados(as), como comidas especiais, árvore de natal, encontro em família, etc.?

_____

_____

33) Deus: você já acreditava em sua existência? Após o desencarne do seu(sua) ente querido(a) ainda continua acreditando? Mudou alguma coisa?

_____

_____

34) Você já estudou ou teve oportunidade de buscar algum conhecimento relativo à "vida após a vida"?

_____

_____

Para saber mais, acesse:
http://www.perdasentesqueridos.org.br/

Livros recomendados

KARDEC, Allan. *O Evangelho Segundo o Espiritismo*. São Paulo: Petit, 2013.

_____. *O Livro dos Espíritos*. São Paulo: Petit: 2012.

_____. *O Livro dos Médiuns*. São Paulo: Petit: 2008.

MARINZECK DE CARVALHO, Vera Lúcia. Espírito Patrícia. *Violetas na Janela*. São Paulo: Petit, 2013.

_____. *Flores de Maria*. São Paulo: Petit, 2012.

MOODY JR., Raymond A. *Vida depois da vida*. São Paulo: Butterfly, 2005.

Pequeno glossário de termos utilizados neste livro

Alma – Quando o espírito vive em um corpo.

Casa espírita – O mesmo que centro espírita.

Colônias espirituais – Um dos locais para onde vão as pessoas (espíritos) quando desencarnam e onde aguardam novas reencarnações, trabalhando e estudando.

Desencarnado – O espírito quando está livre do corpo.

Desencarne – Terminologia utilizada pelos espiritualistas para o ato da morte.

Encarnado – O espírito quando está vivendo em um corpo.

EQM – Experiência de Quase Morte.

Erraticidade – Tempo que o espírito passa entre uma encarnação e outra.

Espírito – Quando o espírito não está encarnado.

Perispírito – Corpo semimaterial que liga o espírito ao corpo.

Plano espiritual – Local para onde vão os espíritos depois de desencarnados.

Provas e expiações – Não se deve crer que todo sofrimento por que se passa neste mundo seja necessariamente o indício de uma determinada falta: trata-se, frequentemente, de simples provas escolhidas pelo espírito antes de encarnar para adiantar sua purificação e acelerar a sua evolução. Assim, a expiação serve sempre de prova, mas a prova nem sempre é uma expiação. Mas provas e expiações são sempre sinais de uma inferioridade relativa, pois aquele que é perfeito não precisa ser provado. Um espírito pode, portanto, ter conquistado certo grau de elevação, mas, querendo avançar mais, solicita uma missão, uma tarefa, pela qual será tanto mais recompensando, se sair vitorioso, quanto mais penosa tiver sido a luta. Esses são, mais especialmente, os casos das pessoas de tendência naturalmente boas, de alma elevada, de sentimentos nobres inatos, que parecem nada trazer de mau de sua precedente existência e que sofrem com resignação cristã as maiores dores, pedindo forças a Deus para suportá-las sem reclamar. Podem-se, ao contrário, considerar como expiação as aflições que provocam reclamações e levam o homem à revolta contra Deus. O sofrimento que não provoca murmurações pode ser, sem dúvida, uma expiação, mas indica que foi antes escolhido voluntariamente do que imposto; é a prova de uma firme resolução, o que constitui sinal de progresso.

Psicofonia – Mediunidade pela qual o médium recebe uma mensagem falada.

Psicografia – Mediunidade pela qual o médium recebe textos de um espírito.

Reencarnação – É a ação de encarnar sucessivas vezes, ou seja, derivada do conceito aceito por doutrinas religiosas e filosóficas de que, na morte física, a alma não entra num estágio final, mas volta ao ciclo de renascimentos.

CRISTINA CENSON

A CASA DAS MIL PALAVRAS
Médium: Cristina Censon | Ditado por: Daniel | Romance | Páginas: 416 | 16x23 cm

Uma casa que abriga mil palavras, mil emoções, mil segredos... De geração em geração, eventos drásticos, apaixonantes e surpreendentes se sucederam em uma casa suntuosa, construída por dois irmãos que vieram da França para o Brasil a fim de tentar novas oportunidades. Em tempos mais recentes, quis o destino que Sophie, uma jornalista francesa que pertencia à última geração da família Busson-Carvalhal, proprietária dessa mansão, viesse ao Brasil para uma visita que marcaria todos os seus familiares: Lucille, irmã de sua avó; Bertrand, um habitante do mundo espiritual torturado pelos próprios erros; Madalena, fiel amiga; Gilles e seus dois filhos, Philipe e Hector. Em uma jornada de ódio, amor e descobertas, A Casa das Mil Palavras reunirá sob seu teto pessoas que aprenderão, mais que desvelar o passado, os ensinamentos espirituais necessários para viver um futuro de alegria e paz.

A LUZ QUE VEM DO CORAÇÃO
Médium: Cristina Censon
Ditado por: Daniel
Romance | Páginas: 424
16x23 cm

TEMPO DE DESPERTAR
Médium: Cristina Censon
Ditado por: Daniel
Romance | Páginas: 400
16x23 cm

REESCREVENDO HISTÓRIAS
Médium: Cristina Censon
Ditado por: Daniel
Romance | Páginas: 352
16x23 cm

PELOS CAMINHOS DA VIDA
Médium: Cristina Censon
Ditado por: Daniel
Romance | Páginas: 384
16x23 cm

SEGUINDO EM FRENTE
Médium: Cristina Censon
Ditado por: Daniel
Romance | Páginas: 328
16x23 cm

JOSÉ CARLOS DE LUCCA
AUTOR COM MAIS DE **1 MILHÃO** DE LIVROS VENDIDOS

FORÇA ESPIRITUAL
Autoajuda | Páginas: 160
16x23 cm
Todos nós merecemos ser felizes! O primeiro passo para isso é descobrir por que estamos sofrendo. Seja qual for o caso, nada ocorre por acaso. Aqui encontramos sugestões para despertar a força espiritual necessária para vencer as dificuldades.

PARA O DIA NASCER FELIZ
Autoajuda | Páginas: 192
14x21 cm
Encontrar a verdadeira felicidade requer mudança da nossa atitude perante a vida - o pensamento positivo, a aproximação com Deus... Para o dia nascer feliz, é só abrir uma dessas páginas e seguir em frente, na certeza de que o melhor está por vir.

ATITUDES PARA VENCER
Desenvolvimento Pessoal
Páginas: 128 | 14x21 cm
Se você está em busca do sucesso, encontrou o livro capaz de ajudá-lo a vencer. O autor explica, na prática, o que devemos ou não fazer. Quer vencer na vida? Vá ao encontro do sucesso, seguindo as recomendações dessa obra.

OLHO MÁGICO
Autoajuda | Páginas: 160
14x21 cm
Leitura fácil e envolvente, revela histórias e pensamentos que servem para refletirmos sobre novas soluções para nossas dificuldades. Para o autor, a felicidade está ao alcance de todos, basta apenas descobri-la em nossos corações.

VALE A PENA AMAR
Autoajuda | Páginas: 168
14x21 cm
ada capítulo dessa obra desco-
que está ao nosso alcance
ções, a dor e a desilusão.
uradoras do ânimo e
rtificam o espírito e
que precisamos ter
o sucesso!

COM OS OLHOS DO CORAÇÃO
Família | Páginas: 192
16x23 cm
A felicidade no lar está ao nosso alcance. Para obtê-la, é necessário enxergar nossos familiares com "Com os olhos do coração". Veja o que é possível fazer para encontrar a paz entre os que a divina providência escalou para o seu convívio familiar.

SEM MEDO DE SER FELIZ
Dissertações | Páginas: 192
14x21 cm
Em todos os tempos, o homem buscou a felicidade. Mas que felicidade é essa? O encontro de um grande amor, a conquista de riqueza, de saúde? Este livro nos mostra que a felicidade está perto de nós, mas para alcançá-la, precisamos nos conhecer.

JUSTIÇA ALÉM DA VIDA
Romance | Páginas: 304
14x21 cm
Numa história fascinante são relatados os mecanismos da justiça à luz da espiritualidade. O autor descreve o ambiente dos tribunais do ponto de vista espiritual. Uma amostra de como os caminhos escolhidos podem delinear a felicidade ou o sofrimento do amanhã!

www.petit.com.br

Levamos o livro espírita cada vez mais longe!

 Av. Porto Ferreira, 1031 | Parque Iracema
CEP 15809-020 | Catanduva-SP

 www.**petit**.com.br
www.**boanova**.net

 petit@petit.com.br
boanova@boanova.net

 17 3531.4444

 17 99257.5523

Siga-nos em nossas redes sociais.

@boanovaed   boanovaeditora

CURTA, COMENTE, COMPARTILHE E SALVE.
utilize #boanovaeditora

Acesse nossa loja   Fale pelo whatsapp